Le grand livre des
questions et réponses
de
Charlie Brown

au sujet de la terre et de l'espace...
des plantes aux planètes!

Le grand livre des questions et réponses de

Charlie Brown

au sujet de la terre et de l'espace... des plantes aux planètes!

D'après les personnages de Charles M. Schulz

Tome 2

**Adaptation française
de
EDOUARD FRANÇOIS
Professeur de lettres**

DARGAUD ⬎ JEUNESSE

PARIS · BARCELONE · BRUXELLES · LAUSANNE · LONDRES · MONTRÉAL · NEW YORK · STUTTGART

Dépôt légal : Juillet 1992
ISBN 2-205-01716-0
ISSN 0758-5128
Imp. en France en juillet 1992 - N° 13060
Ouest Impressions Oberthur - 35000 Rennes
Printed en France

Mai 95

25552

Introduction

T'es-tu jamais demandé pourquoi les océans sont salés, ou pourquoi le pain moisit ; pourquoi tu peux voir ta respiration quand il fait froid, ou qui est propriétaire de l'espace ; pourquoi on ne voit pas l'autre face de la Lune ?

Si tu t'es posé ces questions, alors ce livre te conviendra. Il te donnera les réponses à toutes ces questions et à bien d'autres encore, au sujet des végétaux, des roches, des mers, de la pluie, de la neige, des tornades, des tremblements de terre, des astres, des fusées, etc.

Une fois encore, toute l'équipe des Peanuts est là pour t'aider à trouver les réponses. Rejoins donc ce brave Charlie Brown et commence à poser des questions.

Table des matières

Les végétaux

Qu'est-ce qu'un végétal ?

Tout ce qui est vivant et qui n'est pas un animal est un végétal. Au contraire des animaux, les végétaux ne se déplacent pas : ils ne marchent pas, ne nagent pas, ne volent pas. La plupart des végétaux ont des feuilles vertes dans lesquelles on trouve un corps chimique appelé la chlorophylle (KLO-RO-FILE) qui leur donne leur couleur verte. Quelques plantes ont de la chlorophylle, mais n'ont pas de feuilles vertes, celles-ci étant rouges, pourpres ou brunes. Toute plante ayant de la chlorophylle est appelée « plante verte », même si ses feuilles ne sont pas vertes. Les plantes vertes fabriquent elles-mêmes leur propre nourriture ; les autres plantes ne peuvent pas le faire, et elles empruntent leurs aliments aux animaux ou à d'autres plantes. Les plantes autres que les plantes vertes peuvent être complètement brunes, blanches ou même rouges.

9

Combien y a-t-il d'espèces de végétaux ?

Il y a environ 350 000 espèces différentes de végétaux sur terre ; ils sont de taille variée : certains sont tellement petits qu'on ne peut les voir qu'au microscope ; d'autres sont si grands qu'ils montent à des dizaines de mètres au-dessus du sol, comme le séquoïa géant qui s'élève jusqu'à 90 mètres.

Les végétaux ont des formes très variées : une feuille d'herbe est longue et mince, un palmier a d'immenses feuilles et un tronc allongé. Un chou est rond et feuillu ; un champignon ressemble à un parapluie ; un cactus est mince et a des épines pointues.

Depuis quand y a-t-il des végétaux sur terre ?

Les végétaux existent depuis plus de trois milliards (3 000 000 000) d'années, peut-être même quatre milliards (4 000 000 000). Les premiers végétaux étaient minuscules, on n'aurait pu les voir qu'avec un microscope. Ils existaient plusieurs millions d'années avant les dinosaures et même avant tous les animaux.

Une fleur est-elle un végétal ?

Les savants qui étudient les végétaux (les botanistes) disent qu'une fleur n'est qu'une partie d'un végétal. Toutes les plantes n'ont pas de fleurs, celles qui en ont s'appellent plantes à fleurs.

FLEUR
FEUILLE
TIGE
RACINES

Pourquoi les plantes vertes ont-elles feuilles, fleurs, racines et tiges ?

Une plante verte fabrique elle-même sa nourriture, dont la plus grande partie est élaborée dans les feuilles. Les racines permettent à la plante de bien s'accrocher au sol, mais surtout elles puisent dans le sol l'eau et les sels minéraux. C'est ce qui permet aux plantes de vivre. Certaines racines emmagasinent la nourriture fabriquée par les feuilles.

C'est dans la fleur que se forment les graines qui, un jour, donneront de nouvelles plantes.

La tige supporte feuilles et fleurs ; elle est parcourue par des tubes très fins (les canaux) où circulent des liquides. Certains de ces canaux amènent l'eau, mêlée de sels minéraux, des racines aux feuilles ; d'autres amènent les aliments liquides des feuilles à tout le reste de la plante. Ces liquides sont appelés la sève.

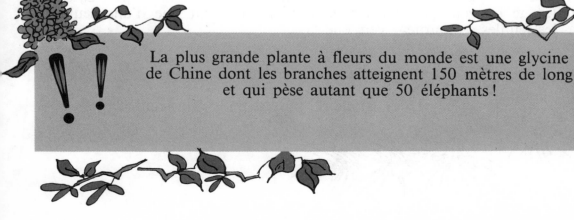

La plus grande plante à fleurs du monde est une glycine de Chine dont les branches atteignent 150 mètres de long et qui pèse autant que 50 éléphants !

Comment les feuilles fabriquent-elles des aliments ?

Les feuilles des plantes sont de véritables petites usines à nourriture ; elles contiennent de la chlorophylle, à l'aide de laquelle elles peuvent fabriquer des aliments. Lorsque le soleil éclaire la chlorophylle, chaque feuille se met au travail, comme une usine, et utilise deux corps pour fabriquer de la nourriture : l'eau qui est amenée du sol par les racines et les tiges, un gaz, appelé dioxyde de carbone, qui provient de l'air et qui pénètre dans les feuilles par de minuscules ouvertures. A l'aide de l'eau et du dioxyde de carbone, les feuilles fabriquent du sucre qui est la nourriture des plantes. En même temps, les feuilles rejettent dans l'air un gaz appelé oxygène.

Cette « usine alimentaire » ne fonctionne que lorsque le soleil brille ; lorsque le soleil se couche, « l'usine » s'arrête. Sans lumière, les plantes vertes ne peuvent pas fabriquer de nourriture et meurent.

Pourquoi les feuilles d'une plante d'appartement se tournent-elles vers la fenêtre ?

Si l'on pose une plante d'appartement près d'une fenêtre, au bout de quelques heures ou de quelques jours, ses feuilles se tournent vers la fenêtre. Si alors on tourne la plante, les feuilles feront à nouveau face à la fenêtre. Pourquoi ? Parce que la lumière vient de la fenêtre et que les plantes vertes ont besoin de lumière pour fabriquer leurs aliments, aussi les feuilles se tournent-elles vers la fenêtre pour avoir le plus de lumière possible.

A l'extérieur, les plantes vertes ont de la lumière tout autour d'elles, aussi leurs feuilles ne bougent pas, mais si la lumière ne vient que d'une seule direction, les feuilles se tournent vers elle.

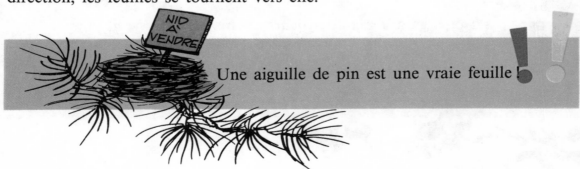

Une aiguille de pin est une vraie feuille !

12

Qu'est-ce qu'une carotte ?

Une carotte est la racine d'une plante et elle est bourrée de nourriture. Lorsque les feuilles fabriquent des aliments, la plante utilise ceux-ci pour pousser, mais la nourriture en trop est mise en réserve dans les racines, les tiges, les fruits, les graines ou même dans les feuilles. Un plant de carotte stocke sa nourriture dans la racine. Lorsque tu manges une carotte, tu manges cette nourriture emmagasinée.

La carotte n'est pas la seule plante à racine comestible, la betterave rouge et la patate douce sont aussi des racines qui, comme la carotte, sont bourrées de réserves alimentaires. La tige de céleri contient aussi des réserves alimentaires, ainsi que l'asperge qui est aussi une tige.

Quant à la salade, au chou et aux épinards, ce sont leurs feuilles qui contiennent un peu de nourriture. Les pommes, pêches et raisins sont des fruits ; par contre les petits pois, les haricots et le maïs sont des graines. Fruits et graines contiennent des réserves alimentaires.

Qu'est-ce qu'un fruit ?

Nous considérons les fruits simplement comme des aliments sucrés et juteux, mais les botanistes ne sont pas de cet avis ; pour eux, les fruits sont constitués par les graines d'une plante, entourées d'une pulpe épaisse. Par exemple, les haricots verts, les aubergines, les tomates contiennent des graines ; pour les botanistes, ce sont des fruits, alors que pour nous, ce sont des légumes. Pommes, oranges, cerises et bananes sont des fruits, pour nous comme pour les botanistes.

Les botanistes n'utilisent jamais le mot « légume » ; ils ne parlent que de racines, de tiges, de feuilles, de fruits, mais jamais de légumes.

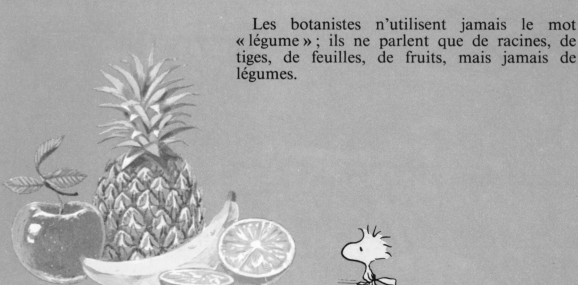

Les plantes fabriquent-elles toutes, leur nourriture ?

Non, seules les plantes vertes peuvent le faire ; celles qui n'ont pas de chlorophylle ne le peuvent pas. Une plante qui ne fabrique pas sa propre nourriture, s'appelle un champignon. Certains champignons tirent leurs aliments du bois mort ou de plantes pourries ; d'autres en tirent d'autres plantes vivantes ou d'animaux vivants. Certains champignons vivent même sur les êtres humains. Une éruption rougeâtre qui vient parfois aux pieds des gens marchant pieds-nus provient d'un champignon qui vit sous la peau.

Tu connais bien les gros champignons, ils poussent à l'ombre, car, ne fabriquant pas eux-mêmes leurs aliments, ils n'ont pas besoin de lumière.

Quelle différence y a-t-il entre un champignon comestible et un champignon vénéneux ?

Un champignon vénéneux contient du poison. A moins d'être un spécialiste, il est à peu près impossible de faire la différence entre un champignon comestible et un champignon vénéneux. Tu peux, sans danger, toucher n'importe quel champignon, mais si tu dois en manger, il faut les montrer à un spécialiste.

Son épouse détestait ce qu'il faisait

"Tu ne gagneras pas d'argent en cultivant des champignons vénéneux," disait-elle.

"Au contraire," répondit-il, "puisque mon métier est de cultiver des champignons."

Alors elle le frappa avec le grille-pain.

Pourquoi le pain moisit-il ?

Tout autour de nous, flottent de minuscules grains verts ou noirs, appelés spores. On ne peut les voir qu'au microscope. Ce sont les graines de plantes appelées des moisissures. Ces plantes sont des champignons, aussi ne fabriquent-elles pas leurs aliments ; elles se nourrissent des choses que nous mangeons et, en particulier, de pain. Quand le pain moisit, on sait que des spores de moisissures se sont posées sur lui. Ces spores ont poussé pour donner des plantes bizarres et cotonneuses qui mangent le pain.

JETTE CE PAIN MOISI AUX OISEAUX. ILS NE FONT PAS DE DIFFÉRENCE...

CERTAINS LA FONT !

La pénicilline provient d'une moisissure qui ressemble beaucoup à celle du pain !

Pourquoi l'eau de certains lacs ou de certaines rivières devient-elle verte et visqueuse ?

Les eaux sales des égouts sont souvent déversées dans des rivières ou des lacs. Les engrais sont souvent entraînés par les eaux de pluie vers les lacs et les rivières. Dans ces eaux, vivent de toutes petites plantes vertes, appelées algues. Les engrais et les déchets humains font pousser les algues plus vite, tellement, qu'elles peuvent recouvrir presque toute la surface d'un lac ou d'une rivière. Ce sont elles qui rendent l'eau verte et visqueuse. Tout poisson habitant dans ces eaux mourra.

Qu'est-ce que la « croûte »
que l'on voit sur certaines pierres ?

Ces « croûtes » grises ou colorées que l'on voit sur des pierres sont des plantes appelées lichens (LI-KENN). On en trouve aussi sur les troncs des arbres et même sur le sable. On les trouve aussi bien dans les déserts brûlants que sur de hautes montagnes glaciales, là où aucune autre plante ne peut pousser.

Comment les lichens peuvent-ils pousser dans de tels endroits ? Ils sont formés de deux plantes différentes vivant ensemble : une algue et un champignon. Les lichens n'ont pas besoin d'eau car l'algue et le champignon peuvent utiliser l'humidité de l'air. L'algue, qui est une plante verte, fabrique les aliments pour le lichen. On ne connaît pas très bien le rôle du champignon. Ce qui est sûr, c'est que, réunis sous la forme d'un lichen, algue et champignon peuvent vivre là où ils ne le pourraient pas isolément.

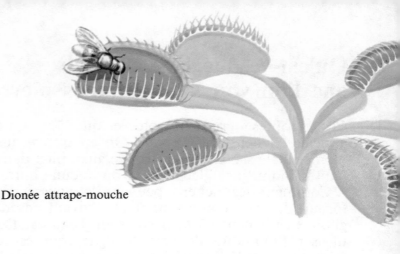

Dionée attrape-mouche

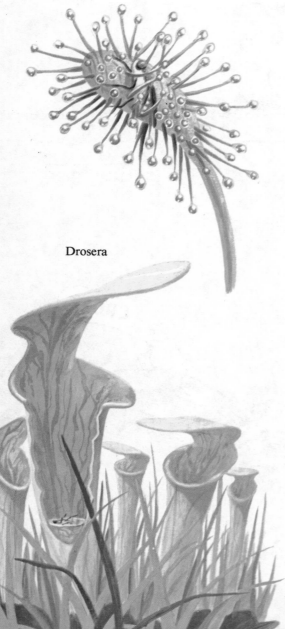

Drosera

Y a-t-il des plantes qui mangent des animaux ?

Mais oui. Certaines plantes mangent des insectes et même, l'une d'entre elles peut manger de petits oiseaux ou des souris. Trois de ces plantes sont le népenthès, la drosera et la dionée attrape-mouche.

Les népenthès ont des feuilles en forme d'urne ou de vase qui dégagent un parfum sucré qui attire les insectes. Au fond de chaque urne, il y a un liquide ; si un insecte y tombe, il s'y noie et la plante le digère, comme ton estomac digère les aliments. Une espèce de népenthès est si grande que de petits oiseaux ou des souris peuvent parfois y tomber et y sont digérés.

La drosera a des feuilles couvertes de poils dont chacun a, à son extrémité, une goutte de liquide gluant qui brille et sent bon. Quand un insecte se pose sur une feuille, il reste englué dans les poils qui se recourbent sur lui et l'emprisonnent ; puis il est digéré.

La dionée attrape-mouche porte bien son nom : chacune de ses feuilles peut se plier le long de la nervure comme un piège. Chaque feuille est garnie de poils raides. Quand un insecte se pose sur ces feuilles, elles se referment, prenant au piège l'insecte qui est digéré, puis la feuille s'ouvre à nouveau.

Ces trois plantes capables de digérer des insectes sont quand même des plantes vertes qui fabriquent leurs propres aliments. On pense que les sols sur lesquels elles poussent manquent de certains sels minéraux qu'elles se procurent en mangeant des insectes.

Népenthès

Pourquoi les abeilles volent-elles autour des fleurs ?

Les abeilles vont sur les fleurs pour y récolter le nectar et le pollen. Le nectar, un liquide sucré contenu dans le fond des fleurs, sert à faire le miel. Le pollen, une poudre jaune de la fleur, est emmené à la ruche et sert de nourriture.

JE ME SENS RIDICULE D'ESSAYER DE PARLER D'ABEILLES ET D'OISEAUX A WOODSTOCK!

Les abeilles sont-elles utiles aux fleurs ?

Oui, les abeilles aident les fleurs à former leurs graines. La plupart des plantes ne peuvent donner de graines si elles ne reçoivent pas de pollen venant d'une autre fleur de même espèce. Ce sont les abeilles qui portent le pollen de fleur en fleur, en le récoltant.

L'abeille se pose sur une fleur, alors elle se frotte à de petites tiges, nommées étamines, qui portent le pollen. Des grains de pollen tombent sur le corps velu de l'abeille ; lorsque celle-ci se pose sur une autre fleur de même espèce, un peu du pollen qu'elle a sur le corps tombe dans cette deuxième fleur.

A l'intérieur des fleurs se trouve une sorte de tige, le pistil ; quand le pollen d'une fleur tombe sur le pistil d'une autre fleur de même espèce, on dit qu'il y a pollinisation. Alors des graines peuvent se former. Sans pollinisation, il n'y a pas de graines, or les graines donnent de nouvelles plantes.

Il n'y a pas que les abeilles qui pollinisent les fleurs, le vent peut jouer le même rôle ; des papillons, des guêpes, des mouches, de petits scarabées, des oiseaux ou même des chauves-souris en font autant, en recherchant du nectar. Les fleurs attirent les animaux par leurs couleurs et leurs odeurs.

Toutes les fleurs sentent-elles bon ?

Non. Seules les fleurs qui attirent les abeilles, les papillons et certains autres insectes sentent bon. Les fleurs qui attirent les oiseaux n'ont pas de parfum, parce que les oiseaux n'ont pas un odorat très développé ; ce sont les couleurs vives qui les attirent. Ces fleurs sont souvent rouges ou orange vif et contiennent du nectar. Seuls les oiseaux qui boivent du nectar pollinisent les fleurs.

Les fleurs pollinisées par les mouches ont une odeur, mais peu agréable ; elles sentent la viande pourrie. Les fleurs qui attirent les chauves-souris ne sentent pas bon non plus. Certaines fleurs n'ont aucune odeur, ne contiennent pas de nectar et ont des couleurs ternes. C'est le vent qui les pollinise ; elles n'ont personne à attirer.

Pourquoi le pissenlit devient-il blanc et duveteux ?

La fleur du pissenlit devient blanche et duveteuse afin que le vent puisse emporter ses graines. Une fleur de pissenlit pollinisée voit ses graines grandir ; alors les pétales jaunes tombent et à chaque graine pousse un long poil duveteux. Le vent enlève ce « duvet », emportant les graines, qui tombent sur le sol et finissent par donner un autre pissenlit.

Ainsi on peut trouver des pissenlits n'importe où, disséminés par le vent. Cela permet aux plantes de ne pas pousser trop serrées et d'avoir de la place pour se développer.

Toutes les graines sont-elles disséminées par le vent ?

Non. Toutes les graines sont disséminées, mais pas seulement par le vent ; seules les graines légères le sont, ou les graines « ailées », comme celles de l'érable.

Toutes les graines qui peuvent flotter peuvent être disséminées par l'eau et voyager sur de très longues distances. Les animaux aussi disséminent les graines, comme celles qui ont des crochets pour s'agripper à leur pelage.

Les glouterons ou les « teignons » sont des graines de cette sorte. En mangeant des fruits, les oiseaux aussi peuvent disséminer les graines.

Une espèce de pâquerette est pollinisée par les escargots !

FANTASTIQUE !

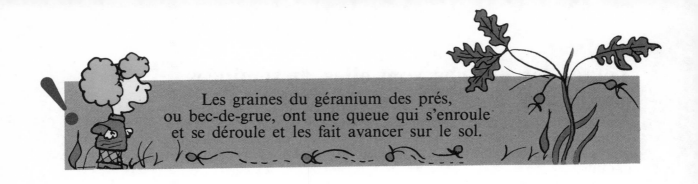

Les graines du géranium des prés,
ou bec-de-grue, ont une queue qui s'enroule
et se déroule et les fait avancer sur le sol.

Comment une graine devient-elle une plante ?

Tu as dû, parfois, manger des graines de tournesol, tu as dû en briser la coque dure pour atteindre la partie molle, dont une certaine zone donnera une nouvelle plante. Cette zone est appelée l'embryon ; le reste de la graine est faite de nourriture. Dans chaque graine, on trouve un embryon et des réserves alimentaires. La coque protège l'embryon.

Lorsque la graine tombe sur un sol favorable, que la température est propice et l'eau abondante, l'embryon, grâce aux réserves alimentaires, fait pousser des racines et une tige ; puis apparaîtront des feuilles qui fabriqueront des aliments et l'on aura alors une nouvelle plante.

Qu'est-ce qu'une pomme de pin ?

Au début, c'est une sorte de fleur, puis cela devient une sorte de fruit qui contient des graines. Au début, la « pomme » (qui est un « cône ») est recouverte d'écailles souples, elle ressemble à une fleur ; après pollinisation par le vent, les graines s'y développent ; alors les écailles durcissent pour les protéger et le tout continue à croître. Puis, les graines, en tombant, ou emportées par le vent, sont prêtes à pousser.

Les sapins et les cèdres, parents des pins, ont aussi des cônes.

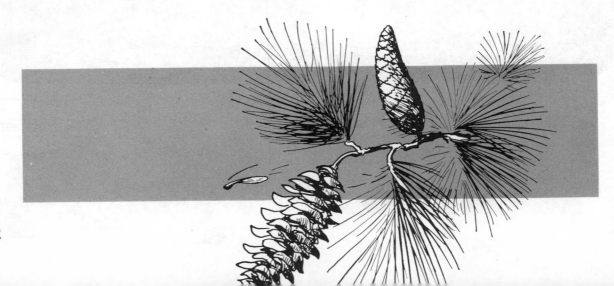

Toutes les plantes proviennent-elles de graines ?

Les plantes à fleurs proviennent de graines, mais d'autres plantes naissent de manières différentes.

Des plantes microscopiques donnent de nouvelles plantes, en se divisant en deux, chaque moitié donnant une plante. D'autres plantes microscopiques « bourgeonnent », cela n'a rien à voir avec des bourgeons de fleurs, ce sont de toutes petites plantes qui poussent sur leur parent et s'en détachent quand elles sont grandes.

Quelques algues et champignons donnent de minuscules grains, appelés spores, qui servent de graines et donnent une plante.

Sous le chapeau des champignons, tu peux voir des spores.

Les fougères aussi donnent des spores contenues dans des coques brunes alignées sous les feuilles ; quand les spores sont arrivées à maturité, les coques s'ouvrent et les spores se répandent.

 Les fougères sortent de terre enroulées sur elles-mêmes,
puis elles se déroulent !

Pourquoi met-on les fleurs dans l'eau ?

Pour qu'elles durent plus longtemps, après qu'on les a coupées. On peut aussi mettre des tiges feuillues dans l'eau pour qu'il leur pousse des racines, et l'on plante alors ces tiges dans la terre où elles poussent. Alors qu'une graine met très longtemps à donner une plante, une tige peut avoir des racines en quelques jours. C'est le cas des bégonias ou du lierre, par exemple.

Y a-t-il d'autres manières de faire pousser des plantes rapidement ?

Oui, il arrive que des tiges feuillues puissent pousser uniquement en les plantant dans la terre et en les arrosant. Si tu enlèves les feuilles du sommet d'un ananas et que tu les plantes dans un pot, avec de l'eau et du soleil tu obtiendras un nouveau plant d'ananas.

Mets une patate douce dans un vase plein d'eau, de façon qu'une partie de la patate dépasse hors du vase ; de cette partie tu verras pousser des tiges et des feuilles. Tu peux obtenir des plants de pommes de terre à partir d'une pomme de terre. Sur toute pomme de terre, tu peux voir de petits bourgeons bruns, appelés les « yeux ». Coupe une pomme de terre de manière que chaque morceau ait un « œil », et plante ces morceaux ; chacun donnera un plan de pommes de terre.

24

Qu'est-ce qu'un bulbe de tulipe ?

C'est une partie de la plante qui se trouve dans la terre. Le bulbe est recouvert d'une sorte de peau brune ; il contient un bourgeon de fleur et une courte tige, entourés de feuilles serrées. Les feuilles contiennent des réserves supplémentaires de nourriture qui permettent à la plante de passer l'hiver et de pousser à nouveau, au printemps.

Au printemps, feuilles, tige et bourgeon de tulipe sortent du bulbe et émergent au-dessus du sol. Le bourgeon grossit et éclot. Lorsque la fleur a été pollinisée, les pétales tombent, ainsi que les graines, mais les feuilles persistent et continuent à nourrir la plante qui emmagasine des réserves dans le bulbe. A la fin de l'été, les feuilles tombent et la plante est invisible en surface, mais en sous-sol existe toujours une plante bien vivante, sous la forme d'un bulbe et de ses racines. Dans ce bulbe, se développent un bourgeon, une tige et des feuilles qui donneront une autre plante au printemps ; cela se reproduira tous les ans.

On plante des bulbes pour avoir des tulipes, mais on pourrait aussi en faire pousser à partir de graines, mais alors il faudrait de 3 à 7 ans avant d'avoir des fleurs.

Qu'est-ce qu'une mauvaise herbe ?

C'est une plante qui pousse là où on ne voudrait pas qu'elle pousse. Par exemple, un paysan cultive des pommes de terre, il ne veut pas que d'autres plantes poussent sur le même terrain, car les plantes prendraient de l'eau et des sels minéraux qui manqueraient aux pommes de terre. Alors, ces autres plantes sont appelées mauvaises herbes. Le paysan répand sur son champ de pommes de terre des produits chimiques pour empêcher les mauvaises herbes de pousser, et s'il le faut, il arrachera la moindre mauvaise herbe qui pourrait se montrer.

Comment peut-on savoir l'âge d'un arbre ?

Quand on abat un arbre, on peut voir, sur la section du tronc, des anneaux qui font connaître l'âge de l'arbre. Deux fois par an, le bois nouveau forme un anneau autour du bois ancien. Au printemps, il se développe un anneau clair, en été, un anneau foncé. Ainsi, si un tronc d'arbre a 24 anneaux, c'est qu'il avait 12 ans quand il fut abattu ; s'il a 200 anneaux, c'est qu'il avait 100 ans.

 Certains séquoïas ont atteint près de 5 000 ans.

Pourquoi les feuilles changent-elles de couleur en automne ?

Il y a plusieurs couleurs dans les feuilles : du vert, du rouge, de l'orange, du jaune. Au printemps et en été, c'est le vert qui l'emporte sur les autres couleurs. Ce vert provient de la chlorophylle qui est tellement abondante qu'elle masque les autres couleurs. A l'automne, beaucoup d'arbres cessent de fabriquer des aliments ; en même temps ils cessent de fabriquer de la chlorophylle qui, à mesure qu'elle disparaît, laisse apparaître les autres couleurs.

Pourquoi les feuilles tombent-elles en automne ?

En été, les feuilles des arbres laissent échapper de minuscules gouttes d'eau ; en même temps, les racines des arbres puisent de l'eau dans le sol, afin que les arbres ne se dessèchent pas. En hiver, le sol gèle, les racines ne trouvent plus d'eau, si alors les feuilles continuaient à « transpirer », les arbres se dessècheraient et mourraient.

En automne, une couche de liège se développe à la base du pétiole de chaque feuille et empêche l'eau de passer dans les feuilles. Celles-ci se dessèchent et tombent.

Pourquoi les cactus ont-ils des épines ?

Les cactus sont protégés de deux manières par leurs épines. D'abord, elles empêchent le cactus de perdre de l'eau. Toutes les plantes perdent de l'eau par leurs feuilles ; les plantes qui ont de grandes feuilles en perdent plusieurs litres par jour. Les cactus vivent dans les déserts, où l'eau est très rare ; s'ils perdaient de l'eau, ils mourraient rapidement. Aussi, au lieu d'avoir des feuilles, les cactus ont-ils des épines d'où l'eau ne peut guère s'échapper.

De plus, les épines empêchent les cactus d'être entamés par les animaux, car, les cactus emmagasinant de l'eau, les animaux du désert voudraient les ouvrir pour avoir cette eau ; les épines les empêchent de le faire.

Pourquoi le sumac donne-t-il des démangeaisons ?

Le sumac est une plante contenant une huile qui irrite la peau. Si tu sais reconnaître un sumac, ne le touche pas.

Le sumac pousse sous forme de buisson ou de liane qui grimpe après les arbres. Chaque feuille est triple ; elle est d'un vert vif à la belle saison, d'un rouge vif en automne.

Sumac

Un trèfle à quatre feuilles porte-t-il bonheur ?

Tu peux te sentir heureux de trouver un trèfle à quatre feuilles, parce que, d'habitude, le trèfle a trois feuilles, mais il n'y a aucune raison pour qu'un trèfle à quatre feuilles — ni aucune autre plante — te porte bonheur.

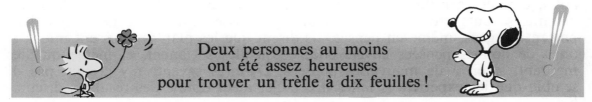

Deux personnes au moins
ont été assez heureuses
pour trouver un trèfle à dix feuilles !

Qu'est-ce qu'un « chirurgien des arbres » ?

Les Américains donnent ce nom à une sorte de médecin des arbres qui prend soin d'eux, s'occupe de leur santé. Il coupe les branches trop longues, répand des produits chimiques contre les insectes ou contre les champignons, étend un mastic protecteur sur les plaies, enlève le bois mort. Il fait aussi fonction de « dentiste » en comblant les trous creusés dans les arbres par des insectes ou des piverts.

Les plantes souffrent-elles quand on les coupe ?

Non. Les animaux souffrent parce qu'ils ont des nerfs qui transmettent un message de douleur au cerveau ; mais les plantes n'ont ni cerveau ni nerfs, donc elles ne souffrent pas.

Les plantes poussent-elles mieux si on leur parle ?

On n'en sait rien. Des savants croient que les sons peuvent affecter les végétaux. La musique douce semble les faire mieux pousser. La musique tonitruante, avec des tambours, peut les tuer. Mais les plantes ne comprennent pas les mots, aussi, dire des gentillesses à une plante ne devrait pas la toucher. Pourtant, certains savants croient que les plantes réagissent aux sentiments que leur portent les gens, même en pensée. Ils disent que les plantes poussent mieux si on a de bonnes pensées envers elles et qu'elles se fanent, et même qu'elles meurent, si on a de mauvaises pensées. D'autres savants n'y croient pas. Il semble que les expériences faites à ce sujet aient donné des résultats discutables.

Quelles sortes d'aliments nous viennent des végétaux ?

Cacaoyer

D'abord les fruits et les légumes, mais ce n'est pas tout. Le café provient d'une graine. Le chocolat provient d'une graine du cacaoyer. Le miel est fabriqué par les abeilles à partir du nectar des fleurs. Le sucre provient, soit de la canne à sucre, soit de la betterave sucrière. Le sirop d'érable provient de la sève d'un érable. Le vin est fabriqué à partir du raisin. Quant à la viande et au lait, ils ne proviennent pas de plantes, mais d'animaux qui mangent des plantes. En réalité, d'une manière ou d'une autre, tous nos aliments viennent des végétaux, sauf le sel et les aliments chimiques.

Qu'arriverait-il si tous les végétaux mouraient ?

Si tous les végétaux mouraient, tous les animaux mourraient aussi, y compris les êtres humains. Lorsque les plantes vertes fabriquent des aliments, elles rejettent de l'oxygène qui est un gaz que tous les animaux doivent respirer pour vivre. Sans végétaux, plus d'oxygène, et tous les animaux mouraient. Les animaux dépendent des plantes pour leur nourriture. Tous les animaux mangent des végétaux ou des animaux herbivores. Sans plantes, il n'y aurait plus rien à manger sur terre !

> ON DIT DANS CE LIVRE QUE "SANS PLANTES, IL N'Y AURAIT PRESQUE PLUS RIEN À MANGER SUR TERRE". CE GENRE D'AFFIRMATION ME DONNE LA MIGRAINE À L'ESTOMAC.

Quels objets usuels nous viennent des végétaux ?

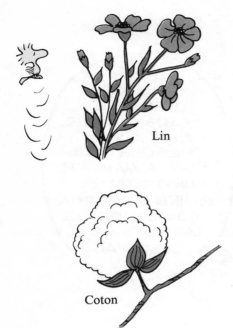

Lin

Coton

Tout ce qui est en bois vient des arbres : charpentes, meubles, jouets, papier, utilisent le bois.

De la sève de l'hévéa, on tire le caoutchouc, dont on fait des pneus, des semelles, des élastiques, des balles.

Le tissu de coton vient du cotonnier. La toile est faite avec du lin. Avec du tissu de coton et de la toile, on fait des vêtements, des rideaux, des serviettes, des draps.

Beaucoup de médicaments proviennent des plantes : la pénicilline vient d'une moisissure ; la quinine, qui sert à combattre le paludisme, vient de l'écorce du quinquina ; la digitaline, qui permet de soigner les faiblesses cardiaques, vient des feuilles séchées de la digitale.

Qu'est-ce que du papier recyclé ?

C'est du papier neuf fait à partir de vieux papier. Le papier est fait surtout avec du bois. D'année en année, on fabrique de plus en plus de papier pour lequel il faut abattre des milliers d'arbres. On remplace ceux-ci en plantant d'autres arbres, mais qui mettent longtemps à pousser. Pour économiser les arbres, nous devons utiliser moins de papier ou réutiliser le vieux papier.

Des techniciens ont inventé un procédé pour réutiliser le vieux papier, on dit qu'on recycle le papier. Voici comment on fait : le vieux papier est déchiré en petits morceaux puis trempé dans un bain chimique qui le nettoie et le rend doux et pâteux. Alors on le lave, on l'étale et on le sèche. Il redevient alors un beau papier blanc — du papier recyclé.

La Terre

De quoi la Terre est-elle faite ?

La Terre est une grosse boule de roches. Sous l'herbe, le sol, les océans et les rivières, s'étendent des milliers de kilomètres de roches.

Si l'on pouvait creuser un trou très profond dans la Terre, voici ce que l'on trouverait : tout d'abord du roc solide comme on en voit en surface ; ce roc est froid au toucher, il constitue la croûte, ou écorce, c'est la partie extérieure de la Terre. En s'enfonçant plus profondément, l'écorce devient de plus en plus chaude et, à environ huit kilomètres de profondeur, la température est tellement élevée qu'elle te rôtirait. Si l'on pouvait continuer à descendre, malgré la chaleur, on atteindrait la partie de la Terre qu'on appelle le manteau, ceci à partir d'une trentaine de kilomètres au-dessous de la surface. La plupart des roches sont encore dures, mais certaines commencent à être pâteuses comme un sirop très épais. La température monte toujours. Le centre de la Terre, ou noyau, doit atteindre 5 000 ºC ; il est presque entièrement fait de roches liquides.

On n'a jamais creusé assez profondément pour voir comment est fait l'intérieur de la Terre, mais les savants ont pu le savoir à partir de la surface.

Le trou le plus profond creusé dans la Terre a atteint une profondeur de neuf kilomètres. Pour arriver au centre de la Terre, il aurait fallu creuser 6 400 km de plus.

Pourquoi l'intérieur de la Terre est-il chaud ?

Les savants pensent, qu'il y a des milliers d'années, la Terre était une grosse boule de poussière et de gaz. Pendant une très longue période, les molécules de gaz et les grains de poussière se sont peu à peu rapprochés, puis ils se sont rejoints, pour former les roches. Le mouvement causé par ce rétrécissement engendra une énorme chaleur et les roches devinrent un liquide épais. Après plusieurs millions d'années, l'extérieur de la Terre — l'écorce — se refroidit et devint solide, mais l'intérieur resta chaud à cause de certaines roches qui dégagent de l'énergie et de la chaleur et qu'on appelle des roches radioactives.

Arrive-t-il que des roches brûlantes jaillissent de la Terre ?

Bien sûr. Des roches brûlantes et liquides, appelées laves, sortent des volcans. On appelle volcan une fissure du sol d'où s'écoule de la lave. On ne sait pas très bien pourquoi un volcan entre en éruption, on pense qu'à l'intérieur de la Terre des gaz très chauds poussent la lave vers le haut. C'est la pression de ces gaz qui doit aussi causer le bruit terrible que l'on entend quand un volcan entre en éruption.

La terre tremble souvent lors d'une éruption volcanique. La lave brûlante et rougeoyante coule du volcan ; celui-ci rejette aussi de la vapeur, des cendres et même des roches solides. Lorsque la lave atteint la surface, elle se refroidit et se solidifie. Lave, roches et cendres forment une montagne autour de la fissure. Il peut falloir jusqu'à 10 000 ans pour que se bâtisse un volcan mais, au Mexique, un volcan, le Paricutin, s'est élevé de 60 mètres en un seul jour.

Un volcan n'est pas continuellement en éruption, il peut rester au repos pendant des heures, des années ou des siècles. Quand un volcan cesse d'entrer en éruption, on dit qu'il est éteint.

Un volcan des îles Hawaï projeta en l'air un bloc de rocher aussi lourd que quatre gros camions, et l'envoya à huit cents mètres de distance !

Les volcans sont-ils dangereux ?

Certes oui ! La lave brûlante qui sort d'un volcan peut causer des incendies. La lave peut être aussi tellement abondante qu'elle peut engloutir une ville ou une île entière. De plus, quand un volcan entre en éruption, il projette parfois des nuages de gaz empoisonnés qui se répandent sur une grande surface et tuent les gens qui les respirent.

Les volcans sont plus dangereux dans une île, car les gens ont de grosses difficultés à fuir.

Les volcans peuvent-ils être bienfaisants ?

Certainement. L'intérieur d'un volcan est très chaud, aussi réchauffe-t-il tout ce qui est autour de lui et même, en certains endroits du monde, les gens ont appris à utiliser la chaleur des volcans.

La plus grande partie de l'eau de notre planète est souterraine ; cette eau souterraine, au voisinage d'un volcan actif est très chaude, on peut l'atteindre en creusant des puits et en installant des tuyaux qui amènent en surface l'eau bouillante, dont la vapeur fait tourner des machines et produit ainsi de l'électricité.

Mais surtout, les volcans contribuent à enrichir le sol, car le sol provenant de roches volcaniques réduites en poussière, contient des minéraux qui favorisent la croissance des plantes. La contrée autour d'un volcan est très riche, mais les cultivateurs doivent toujours penser qu'un volcan peut entrer en éruption d'un jour à l'autre.

Qu'est-ce qu'une source chaude ?

Il existe, sous la surface du sol, des réserves d'eau chaude ; si cette eau arrive à la surface du sol par une fissure, on dit que c'est une source chaude.

Pour certaines de ces sources, leur eau est chaude parce qu'elle provient d'une grande profondeur de la terre, là où la température est très élevée, mais le plus souvent cette eau ne vient pas d'une très grande profondeur, elle est chaude parce qu'elle provient d'un volcan qui peut être actif ou éteint.

Qu'est-ce que le « Vieux Fidèle » ?

C'est un geyser (JÉ-ZER) du Parc National de Yellowstone, aux États-Unis. Un geyser est une espèce particulière de source chaude, dont l'eau est si chaude qu'elle bout et jaillit sous forme de vapeur dans l'air, par un trou du sol.

L'eau jaillit un certain temps, puis s'arrête. L'eau de certains geysers jaillit à quelques dizaines de centimètres du sol mais, dans d'autres cas, elle peut monter à la hauteur d'un immeuble de dix étages. Certains geysers ne jaillissent qu'une fois tous les deux ou trois ans, le « Vieux Fidèle », lui, a reçu ce nom parce que son eau jaillit régulièrement, fidèlement, à peu près une fois par heure. Cette eau monte à la hauteur d'un immeuble de sept étages ; elle est chaude parce qu'il y a bien longtemps, il existait de petits volcans dans la région de Yellowstone.

Qu'est-ce qu'un tremblement de terre ?

Une rupture brusque de la croûte terrestre s'appelle un tremblement de terre ou séisme. Cette rupture fait vibrer, trembler la terre. Si tu casses en deux une règle en plastique, tu verras les deux moitiés vibrer pendant quelques secondes après la rupture ; c'est ce qui arrive lors d'un tremblement de terre, mais pour la terre cela dure plus longtemps que quelques secondes.

A l'intérieur de la Terre, des forces exercent des compressions ou des tensions sur les roches de l'écorce. On ne sait pas très bien pourquoi cela arrive. En général, cela fait plier les roches, alors il n'y a pas de tremblement de terre, mais, parfois, les forces sont tellement grandes que les roches se brisent, alors on sent les vibrations du sol : la Terre tremble.

Un séisme peut-il modifier la surface de la Terre ?

Mais oui. Un très violent séisme peut faire s'écrouler une partie d'une montagne, peut ouvrir une crevasse dans le sol, transporter d'énormes rochers, et ceci en quelques minutes.

Les forts tremblements de terre causent d'énormes dommages : les immeubles s'écroulent, les canalisations de gaz éclatent et prennent feu — des villes entières peuvent être ainsi incendiées — les canalisations d'eau sont rompues et l'on n'a plus d'eau pour combattre les incendies. Beaucoup de gens sont tués par le feu ou par l'écroulement des maisons. Heureusement, la plupart des tremblements de terre sont faibles et causent peu de dégâts.

En 1556, environ 830 000 personnes furent tuées en Chine par suite d'un séisme !

Comment peut-on se protéger des tremblements de terre ?

Le meilleur moyen consiste à se tenir éloigné des régions où les séismes se font sentir, car les tremblements de terre ne se manifestent pas partout dans le monde, on les ressent dans certaines zones appelées « ceintures sismiques ». L'une d'entre elles s'étend le long des côtes occidentales de l'Amérique du Nord et du Sud.

Si tu es obligé de vivre dans une zone à séismes, tu as intérêt à habiter une maison solidement construite avec une carcasse en acier. Cette maison doit être bâtie sur du rocher bien dur et non sur de l'argile molle. Si tu sens un début de tremblement de terre, ne t'effraie pas, ne te précipite pas dans la rue. Des personnes ont été piétinées à mort dans les rues par des gens pris de panique.

Il existe des machines qui mesurent les mouvements à l'intérieur de la terre, ces machines peuvent parfois indiquer qu'un tremblement de terre se prépare, alors les gens peuvent évacuer la région avant la catastrophe.

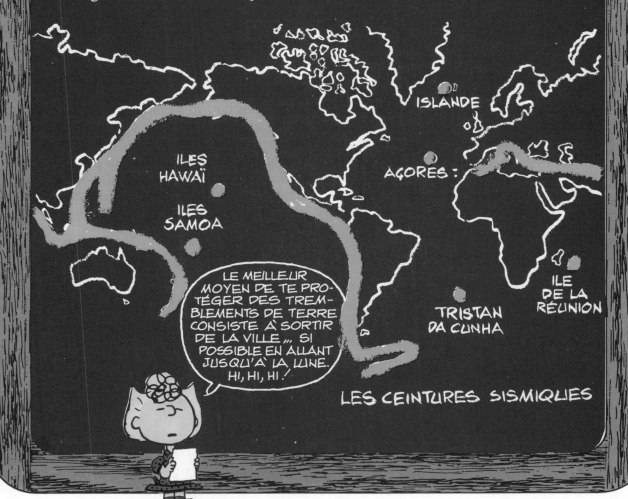

ISLANDE

ILES HAWAÏ

ILES SAMOA

AÇORES

ILE DE LA RÉUNION

TRISTAN DA CUNHA

LE MEILLEUR MOYEN DE TE PROTÉGER DES TREMBLEMENTS DE TERRE CONSISTE À SORTIR DE LA VILLE... SI POSSIBLE EN ALLANT JUSQU'À LA LUNE. HI, HI, HI !

LES CEINTURES SISMIQUES

Qu'est-ce qu'un fossile ?

C'est ce qui reste d'un animal ou d'une plante ayant vécu il y a des millions d'années. C'est parfois un coquillage, un os d'animal, transformés en pierre ; ce peut être aussi une empreinte de feuille sur une roche. Les traces de pattes d'animaux comme les dinosaures sont restées gravées dans le sable qui a durci.

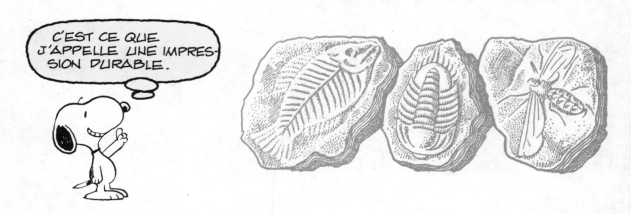

Comment sont nées les montagnes ?

Beaucoup de montagnes proviennent de masses de roches qui ont été poussées à partir du fond des océans. On sait cela parce que des fossiles d'animaux marins ont été trouvés au sommet de hautes montagnes.

Sables et boues, qu'on appelle des sédiments, sont charriés par les rivières jusqu'à l'océan. Les sédiments amenés par les fleuves il y a plusieurs millions d'années se sont accumulés dans le fond des océans. Des squelettes d'animaux marins se sont mêlés aux sédiments. Ceux-ci, pendant des centaines de milliers d'années, se sont accumulés en couches superposées qui se sont durcies en pierre, enfermant les squelettes d'animaux. Puis, les forces internes de la Terre ont pressé les couches de roches en plis — comme tu peux plisser la peau de ta main entre ton pouce et tes doigts. Enfin, les forces de la terre ont poussé les roches vers le haut, donnant ainsi naissance aux montagnes que tu vois aujourd'hui.

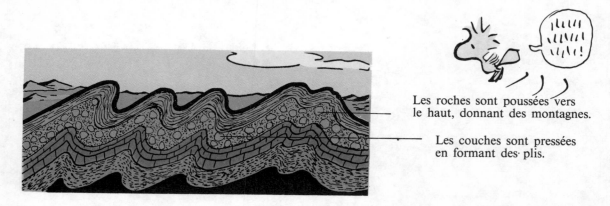

Les roches sont poussées vers le haut, donnant des montagnes.

Les couches sont pressées en formant des plis.

Combien y a-t-il d'espèces de roches ?

On distingue trois groupes de roches. Toutes les roches que tu peux voir appartiennent à l'un de ces trois groupes.

Le premier comprend les roches cristallines (ou ignées). Elles prirent naissance à de grandes profondeurs, sous forme d'un liquide pâteux qui se solidifia en profondeur, mais une partie, la lave, s'échappa à la surface de la terre par la bouche des volcans et se solidifia. Un type commun de roche cristalline est le granite, qui est très dur et qu'on utilise en construction.

Le deuxième groupe comprend des roches provenant du sable, de la boue, de l'argile, que les fleuves arrachèrent au sol et emportèrent jusqu'à la mer, sur le fond de laquelle elles s'entassèrent en couches qui, plus tard, furent soulevées sous forme de montagnes. On les appelle les roches sédimentaires. Le ciment provient d'une roche sédimentaire, le calcaire.

La troisième catégorie de roches était formée, à l'origine, de roches sédimentaires ou cristallines, mais qui ont été ployées, pliées, brisées, écrasées puis chauffées par les forces internes de la terre et se sont transformées en roches d'une espèce nouvelle. On les appelle les roches métamorphiques (ce qui veut dire : roches transformées).

La mine d'un crayon est faite de graphite qui est une roche métamorphique.

La plupart des roches sont dures et rigides, mais l'itacolumnite est si flexible qu'on peut la plier avec les mains !

De quoi les roches sont-elles faites ?

Toutes les roches sont faites d'un ou de plusieurs minéraux. Si tu regardes une roche de très près, tu y verras de petits points qui sont des minéraux. Sous une forte lumière, tu peux les voir briller. Grâce à la taille, à la forme, au type de ces minéraux, tu peux savoir à quelle roche tu as affaire.

Il y a environ 2 500 minéraux connus dans le monde. Ils ont des couleurs différentes, donnent au toucher des sensations différentes, sont plus ou moins solides, mais tous sont faits de petits éléments appelés cristaux. Les minéraux sont naturels, ils ne sont pas fabriqués par l'homme. Tu connais peut-être le quartz, le cuivre, l'or et le diamant.

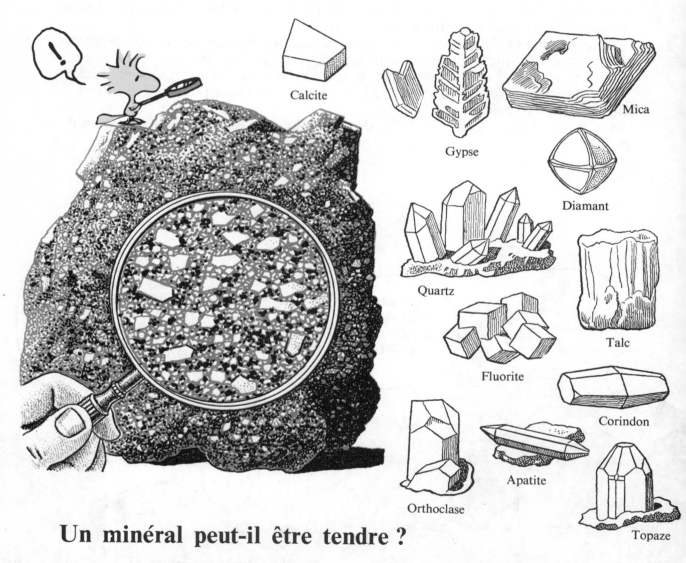

Calcite

Gypse

Mica

Diamant

Quartz

Talc

Fluorite

Corindon

Orthoclase

Apatite

Topaze

Un minéral peut-il être tendre ?

Il peut être assez tendre pour que tu le rayes avec ton ongle. Le talc est un de ces minéraux tendres ; il est si tendre qu'on en fait une poudre utilisée pour les enfants. Mais, en général, les minéraux sont durs, plus ou moins, mais durs.

Quel est le plus dur des minéraux ?

C'est le diamant. Seul un autre diamant peut le rayer. C'est parce qu'ils sont si rares, si durs et si beaux que les diamants sont très chers. On les utilise pour en faire des bagues et autres bijoux.

Comment tire-t-on les minéraux de la terre ?

Nous avons besoin de minéraux utiles, comme le minerai de cuivre ou d'étain que l'on extrait de la terre dans des mines, ce qui n'est pas toujours facile. Les mineurs les arrachent avec des pics et des pelles.

Parfois, on doit creuser le sol pour trouver un minerai, ou le faire sauter avec des explosifs.

Les mines sont-elles toujours souterraines ?

Non. Lorsque le minerai est près de la surface, on travaille à l'air libre, après avoir enlevé une couche de terre à l'aide de bull-dozers. C'est là une extraction plus facile et plus rapide qu'en sous-sol. Pas de puits ni de galeries à creuser. Mais en exploitant des mines en surface et en ne remettant pas le sol en place, on est arrivé à rendre des régions stériles.

SEIGNEUR!!

J'AI TROUVÉ TROIS PIÈCES DE MONNAIE ICI. IL DOIT Y AVOIR UNE MINE DE CUIVRE.

Le charbon est-il constitué de minéraux ?

Non. Le charbon provient de restes de végétaux qui vécurent il y a des millions d'années. A cette époque, presque toute la surface de la planète était plate et marécageuse ; dans ces marais poussaient d'immenses forêts de fougères et de grands arbres. Lorsque les végétaux mouraient, ils tombaient dans les marais et ils commencèrent à pourrir. De nouveaux arbres poussèrent sur leurs restes et moururent à leur tour et ainsi de suite. Finalement, les couches supérieures de végétaux morts comprimèrent les couches inférieures qui formèrent une substance appelée la tourbe.

Après des millions d'années, beaucoup de ces marécages furent engloutis sous la mer ; alors les sédiments recouvrirent la tourbe et la comprimèrent encore en l'enterrant profondément. Sous l'effet de cette pression, la tourbe devint du charbon noir et dur.

44

Les hommes des cavernes creusaient-ils leurs cavernes ?

Non. Ils ne creusaient pas leurs cavernes, ils trouvaient des cavernes et y habitaient, car ils ne connaissaient pas d'autres manières de vivre.

La plupart des grandes cavernes sont creusées dans une roche tendre, appelée calcaire. Durant des milliers d'années, les eaux de pluie, en ruisselant, ont creusé de petites cavités dans la roche ; lentement, très lentement, l'eau usa la roche, formant des cavernes. A l'origine, ces cavernes étaient remplies d'eau ; peu à peu elles se vidèrent.

Qu'est-ce que les stalactites que l'on trouve dans les grottes ?

L'eau ruisselle sur le plafond d'une grotte calcaire, emportant avec elle des parcelles d'un minéral nommé calcite, contenu dans le calcaire. Une partie de l'eau s'évapore, mais la calcite reste au plafond. Au fur et à mesure que l'eau s'évapore, la calcite s'accumule au plafond, forme une petite bosse. Très lentement, l'eau coule le long de cette bosse et tombe goutte à goutte, déposant de la calcite qui forme peu à peu une stalactite.

L'eau qui tombe du plafond sur le sol s'évapore ainsi et dépose de la calcite sur le sol où se forme une bosse qui grandit et donne une stalagmite qui s'élève vers le plafond.

Il arrive qu'en se développant, une stalactite et une stalagmite se rencontrent et forment alors une colonne.

Qu'est-ce qu'un sol ?

C'est cette matière brune qui recouvre presque toute la terre. Le sol peut avoir quelques centimètres ou quelques mètres d'épaisseur. Il est fait de minuscules parcelles de roches de tailles différentes. Il renferme aussi de tout petits débris de plantes ou d'animaux morts. On y trouve aussi mêlés des êtres vivants, appelés bactéries, si petits qu'il faut un bon microscope pour les voir. Le sol contient aussi de l'eau et de l'air.

Comment s'est formé le sol ?

Il y a des milliards d'années, quand la Terre était jeune, il n'y avait pas de sol ; roches et eau recouvraient l'écorce terrestre. La pluie et le vent usèrent la roche ; fleuves et océans martelèrent la roche, et, peu à peu, celle-ci se désagrégea. L'eau s'infiltra dans des crevasses de la roche, et, par temps froid, cette eau gela, et comme la glace tient plus de place que l'eau, la roche fut brisée et donna des pierres. Fleuves et pluies emportèrent les pierres, les roulèrent et les brisèrent en galets et cailloux. Après des millions d'années, une couche de tout petits morceaux de roches s'accumula à la surface de la Terre. Des fragments d'animaux et de végétaux morts se mêlèrent à ces particules de roches. Le tout donna le sol.

Qu'est-ce que l'argile ?

C'est une espèce particulière de sol, faite de grains très fins, plus fins que dans les autres espèces de sols. La plupart de ces grains proviennent d'une roche, appelée silice. La kaolinite en est l'espèce la plus courante. Ces grains peuvent se rassembler si étroitement qu'ils forment une masse à laquelle on peut donner la forme que l'on veut. Si l'on cuit l'argile, elle durcit, aussi l'utilise-t-on pour en faire des briques, des vases, des assiettes et autres objets utiles.

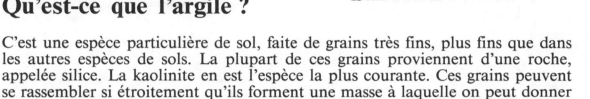

47

Combien d'océans
y a-t-il dans le monde ?

Quoique l'on parle toujours d'Océan Atlantique, d'Océan Pacifique, etc., il n'y a, en réalité, qu'un seul océan. Confectionne un petit bateau en papier et fais-le naviguer sur la mappemonde de ta classe sans quitter la mer, ton bateau naviguera toujours, sans jamais toucher terre, parce que tous les océans du monde ne sont qu'un seul immense océan. Dans tout « océan » on arrive à un endroit où l'eau de cet « océan » rencontre l'eau d'un autre « océan ».

L'océan n'a pas de fin.

CE N'EST QU'UN SEUL OCÉAN.

VOICI MON EXPOSÉ SUR LES OCÉANS DU MONDE ...

"IL N'Y A PAS D'OCÉAN DANS LE KANSAS, NI DANS LE NEBRASKA, NI DANS LE NEVADA, NI DANS LE MINNESOTA..."

"IL N'Y A PAS D'OCÉAN DANS L'IOWA, NI..."

JE CROYAIS QUE VOUS VOULIEZ QUE J'ENTRE DANS LES DÉTAILS...

Comment se forma l'océan ?

La Terre n'a pas toujours eu un grand océan comme de nos jours. Il y a plusieurs millions d'années, la Terre était très chaude, certains savants pensent qu'à cette époque, presque toute l'eau de la Terre était enfermée dans la profondeur des roches. Puis les roches se refroidirent et se solidifièrent, alors elles perdirent leur eau qui se rassembla dans les endroits creux de la croûte terrestre.

D'autres savants pensent que l'eau provient d'immenses nuages qui entouraient la Terre. Lorsque celle-ci se refroidit, les nuages se refroidirent aussi, donnant de la pluie, et cela pendant des milliers d'années, remplissant les zones basses de la Terre.

Depuis ce temps, les océans se sont modifiés tant par leur forme que par leur nombre, mais un océan est toujours une grande zone creuse remplie d'eau.

A quel endroit l'océan est-il le plus profond ?

C'est dans l'Océan Pacifique, près des Iles Mariannes. A cet endroit, on mesure 10 900 mètres d'épaisseur d'eau. C'est assez profond pour contenir la plus haute montagne du monde, le Mont Everest, qui a 8 800 mètres de haut.

ET VOICI LE PLUS FAMEUX ÉCRIVAIN DU MONDE COMMENÇANT SON NOUVEAU ROMAN...

"Je vous aime," dit-elle, "Je vous aime plus que je ne peux le dire."

"Je vous aime aussi", répondit-il.

"Mon amour pour vous est plus grand que la plus grande montagne, l'Everest, qui a plus de 8.800 mètres de haut."

"Mon amour pour vous est plus profond que l'océan le plus profond qui, aux Mariannes, dépasse 10.900 mètres!"

MON HÉROS EST UN RASEUR.

 Si tu laissais tomber dans l'eau une pierre de la grosseur de ta tête, il lui faudrait environ deux heures pour atteindre 10 900 mètres de profondeur !

Pourquoi l'océan est-il salé ?

Le sel des mers vient de la Terre. Le sel est un minéral contenu dans des roches et dans le sol. Lorsque la pluie tombe, une partie ruisselle sur les rochers et sur le sol, en entraînant du sel vers les fleuves. Ceux-ci aboutissent à l'océan où ils ont amené leur sel.

Comme cela dure depuis des millions d'années, le sel s'est accumulé dans l'eau des mers.

Les rivières sont à peine salées, puisqu'elles amènent leur sel à l'océan où il s'accumule.

L'océan est salé parce que les poissons n'aiment pas le poivre.
Sally Brown

Trouve-t-on du sel solide à l'état naturel ?

Oui. On en trouve soit dans le sol, sous forme de véritables mines de sel, soit à la surface du sol, en affleurements.

Il y a très très longtemps, l'eau salée des océans s'étendaient là où l'on trouve aujourd'hui des couches de sel. L'eau s'évapora et abandonna le sel qui, en certains endroits, émerge à la surface du sol sous forme d'affleurements. Les animaux viennent lécher ces affleurements, car leur corps a besoin de sel. Dans les fermes et dans les zoos, on dispose des blocs de sel pour que les animaux viennent les lécher.

Qu'est-ce que la marée ?

T'est-il arrivé de t'asseoir sur une plage et d'observer la mer qui se rapproche de plus en plus de toi ? Alors tu as vu monter la marée. Si tu es revenu plus tard, au même endroit, tu as dû voir la mer se retirer. On dit que la marée descend. Alors tu peux voir à nouveau le sable que la mer avait recouvert.

Presque partout dans le monde, la marée monte et descend ainsi deux fois par jour, et ceci parce que l'eau de l'océan se soulève ou s'abaisse. C'est la gravitation — cette force que possèdent les planètes et les étoiles — qui cause la marée. La gravitation attire les choses vers le centre des astres. La gravitation de la Lune et celle du Soleil attirent l'eau des océans, causant les marées. Comme la Lune est bien plus proche de la Terre que le Soleil, c'est elle qui produit les fortes marées. La Lune attire aussi le sol, mais le sol est solide, alors la Lune ne peut le faire bouger, tandis que les océans sont liquides, alors ils se déplacent quand la gravitation de la Lune agit sur eux.

Les fleuves et les lacs ont-ils des marées ?

Bien sûr, mais elles sont trop faibles pour qu'on s'en aperçoive.

Qu'est-ce qui produit les vagues de la mer ?

Les vagues sont des ondulations, ou des ondes, à la surface de l'océan. Elles se déplacent à travers les mers. Elles sont surtout causées par le vent soufflant à la surface de l'eau. Lorsque le vent souffle sur une eau dormante, il produit des rides. Si le vent continue à souffler dans la même direction, ces rides deviennent de plus en plus grosses ; ce sont des vagues. Plus le vent souffle fort, et longtemps, plus les vagues sont grosses.

VITE, VITE SNOOPY ! TU POURRAS CHEVAU-CHER CELLE-CI.

?

52

Qu'est-ce qu'un raz-de-marée ?

C'est une vague gigantesque, causée par un séisme sous l'océan. Le séisme pousse vers le haut ou vers le bas une partie du fond de l'océan ; alors naît une immense vague qui se déplace à toute vitesse, à plusieurs centaines de kilomètres à l'heure parfois. Elle grossit en se déplaçant. Elle peut n'avoir que quelques mètres de haut à son début, mais lorsqu'elle atteint un rivage, elle peut avoir jusqu'à trente mètres. Alors elle dévaste tout. De nos jours, un raz-de-marée est désigné scientifiquement par son nom japonais : tsunami (TSOU-NA-MI).

53

D'où viennent les fleuves ?

Cela commence avec la pluie. Partout où il pleut, où de la neige fond, de l'eau ruisselle le long des pentes. Aucun endroit de la Terre n'est parfaitement plat ; il existe toujours une légère pente, alors l'eau coule et creuse des rigoles dans le sol. A chaque pluie, cette rigole s'approfondit et s'élargit ; elle devient un ruisseau qui rejoint d'autres ruisseaux qui grandissent, grossissent, jusqu'à ce qu'ils deviennent des fleuves qui coulent jusqu'à la mer et ne tarissent pas.

En Afrique, le Nil a plus de 6 400 kilomètres de long.
C'est une distance supérieure à celle qui sépare
les côtes Est et Ouest des États-Unis !

Qu'est-ce qu'un glacier ?

Un glacier est formé par un énorme entassement de glace et de neige, tellement lourd que son propre poids l'entraîne sur les pentes des montagnes. On les appelle parfois fleuves de glace. Comme les fleuves ils descendent — très lentement — les pentes jusqu'aux océans, à moins qu'ils ne fondent avant d'y arriver. Les petits glaciers avancent de quelques centimètres par jour, les grands glaciers peuvent avancer de trois mètres par jour.

D'où viennent les glaciers ?

En certains endroits du monde, il tombe de grandes quantités de neige. Si la température n'est pas assez élevée pour la faire fondre, cette neige s'entasse sur une grande épaisseur. Avec le temps, cette épaisseur s'accroît et sous le poids, la neige, au fond, devient glace ; quand cette glace a atteint un certain poids, elle se met à glisser : c'est un glacier.

55

Qu'est-ce qu'un iceberg ?

C'est une montagne de glace qui flotte dans la mer. Elle faisait partie d'un glacier, mais lorsque celui-ci atteignit la mer, il se brisa et l'énorme morceau partit à la dérive. Quoique la mer soit salée, un iceberg n'est pas salé, car sa glace est faite d'eau douce provenant d'un glacier.

Comme la mer sur laquelle flotte un iceberg est plus chaude que la glace, l'iceberg fond. Pendant trois ans environ, il dérive en fondant peu à peu. Puis il se brise en morceaux et finit par fondre complètement.

Certains icebergs sont aussi grands qu'un terrain de football, d'autres sont aussi grands que 2 900 terrains de football réunis. La plus grande partie d'un iceberg est cachée sous la surface de l'eau ; ce que l'on voit n'est que le sommet de la montagne de glace qui émerge à la surface.

C'EST AINSI QUE SE FORME UN ICEBERG !

GLACIER
SOL
MER
GLACIER
SOL
ICEBERG
MER

Pourquoi un iceberg est-il dangereux ?

Un iceberg représente un grand danger pour les bateaux, car il est, pour sa plus grande partie, enfoncé dans l'eau, et, quand un bateau aperçoit un iceberg, on ne sait jamais quelle surface l'iceberg occupe sous l'eau ; il y a risque de le heurter et de couler. Il faut s'éloigner au plus vite des icebergs.

 Un iceberg peut peser un million de tonnes !

Le temps et le climat

Qu'est-ce que le temps ?

Lorsque l'on parle du temps, c'est de l'air que l'on parle. Le temps, c'est ce qu'est l'état de l'air, à un moment et à un endroit donnés. L'air est-il froid ou chaud ? Est-il sec ou humide ? A quelle vitesse se déplace-t-il ? Quelle pression exerce-t-il sur la Terre ? Les réponses à ces questions nous définissent ce qu'est le temps.

Quelle différence y a-t-il entre le temps et le climat ?

Le temps représente l'état de l'air en un lieu et un moment donnés. Le climat nous dit comment est le temps en général tout au long de l'année. Si en un endroit le temps est plus sec qu'humide, nous dirons que ce lieu a un climat sec ; s'il connaît plus de périodes de temps chaud que de temps froid, nous dirons que ce lieu a un climat chaud. La ville de Yuma, en Arizona, a un climat chaud et sec. Au printemps, en été, en automne, le temps est presque toujours sec, chaud et ensoleillé. Cependant, il peut pleuvoir et faire froid par un matin d'hiver, et, le même jour, un peu plus tard, le temps peut être sec, ensoleillé et froid. Le temps varie chaque jour. Le climat reste le même d'un an sur l'autre pour un même endroit.

Combien de climats différents y a-t-il dans le monde ?

Chaque endroit du monde a son propre climat, mais certains climats sont si ressemblants que les savants les ont groupés en douze types. Chacun d'entre eux montre quelle température et quelle humidité règnent en un lieu.

Les États-Unis possèdent dix des douze types de climat. Ils s'étendent du climat de Miami au climat de l'Alaska. A Miami, il fait presque toujours très chaud et il pleut la moitié de l'année. La plus grande partie de l'Alaska est très froide et sèche.

Qu'est-ce qui rend les climats différents ?

La situation d'un endroit de la Terre conditionne son climat. Si l'on habite très au nord, là où tu vois une flèche rouge, on habite dans un climat froid. Il en serait de même très au sud près de la flèche verte. Les rayons du soleil frappent la Terre sous un angle rasant et n'échauffent pas beaucoup le sol. Par contre, si l'on habite aux alentours de la partie centrale du globe — près de ce qu'on appelle l'équateur — il fait chaud toute l'année, et ceci parce que les rayons du soleil frappent le sol à la verticale. Plus les rayons du soleil tendent à être verticaux, plus il fait chaud. Si l'on vit près de l'équateur, non seulement on reçoit plus de chaleur, mais aussi plus de pluie qu'en des lieux plus au nord ou plus au sud.

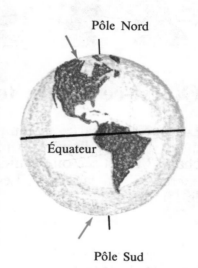

Pôle Nord

Équateur

Pôle Sud

SI L'ON VIT À L'ÉQUATEUR, LE CLIMAT EST CHAUD.

L'altitude à laquelle on vit produit aussi des différences de climat. En montagne, le climat est plus froid qu'au niveau de la mer.

Si l'on vit près de l'océan, les hivers sont moins froids et les étés moins chauds qu'en des points éloignés des mers et l'on reçoit plus d'eau qu'à l'intérieur des terres. Les vents et les mouvements de l'océan contribuent à faire du climat ce qu'il est.

Y a-t-il des points précis marqués Pôle Nord et Pôle Sud ?

Mais non ! L'illustration montrant un écriteau « Pôle Nord » est une image. Rien n'indique ainsi les pôles. La Terre est ronde comme une balle de caoutchouc. Si tu fais passer un crayon par le centre d'une balle, ce crayon traverse la balle en deux points opposés. Il en est de même pour la Terre. Les savants ont imaginé une ligne (au lieu du crayon) traversant la Terre ; cette ligne est l'axe du monde, autour duquel tourne la Terre. Là où cette ligne traverse la Terre se trouvent le Pôle Nord et le Pôle Sud. A mi-chemin entre les pôles, une ligne imaginaire encercle la Terre, c'est l'équateur.

Le Pôle Nord et le Pôle Sud sont-ils semblables ?

Non. Le point appelé Pôle Sud se trouve sur une terre recouverte de glace. Le point appelé Pôle Nord se trouve sur une mer recouverte de glace.

L'eau ne se refroidit pas aussi vite que le sol, aussi, en hiver, le Pôle Nord n'est-il pas aussi froid que le Pôle Sud ; cependant le Pôle Nord est très froid pour nous, on y a enregistré une température de 73 degrés au-dessous de zéro dans ses parages.

Un sous-marin a navigué sous la glace,
à l'emplacement du Pôle Nord !

Que signifie « au-dessous de zéro » ?

Quand on dit « au-dessous de zéro », on parle de la température telle qu'elle est, mesurée par le thermomètre. L'espèce la plus courante de thermomètre est constituée par un filet de liquide qui monte et descend dans un mince tube de verre, le long duquel sont inscrits des nombres. L'espace entre deux nombres consécutifs s'appelle un degré. On utilise habituellement les thermomètres pour mesurer la température de l'air ou de l'eau.

En Europe, on utilise le thermomètre inventé par Anders Celsius. Lorsque l'eau bout, ce thermomètre marque 100 degrés. Lorsque l'eau commence à geler, il marque 0 degré. On écrit 0 ºC — C pour Celsius. Lorsque le thermomètre marque 0 ºC tu mets un manteau, un bonnet et des gants lorsque tu sors. Au-dessous de 0 ºC, tu te couvres encore plus. Plus la température descend au-dessous de zéro, plus il fait froid et l'on préfère rester à la maison.

Température très agréable

Glace fondante

Au-dessous de zéro

Un thermomètre Fahrenheit

Y a-t-il d'autres thermomètres que celui de Celsius ?

Oui, et en particulier, l'un d'eux, inventé par Gabriel Fahrenheit.

Sur ce thermomètre, très employé aux États-Unis, l'eau gèle à 32 degrés et bout à 212 degrés (212 ºF.), ce qui est moins facile à retenir que pour le thermomètre de Celsius.

Où a-t-on enregistré la plus basse température ?

C'est près du Pôle Sud, à une station d'hivernage appelée Vostok, à 650 kilomètres du pôle, la température est tombée à 88 °C au-dessous de zéro (– 126 °F). Personne ne vit aux alentours du Pôle Sud, sauf les savants qui visitent les stations. Mais il y a des gens qui vivent dans des endroits très froids, en Asie, au nord de la Sibérie ; là, les températures ont atteint 70 °C au-dessous de zéro (– 94 °F).

Où a-t-on enregistré les plus hautes températures ?

C'est dans un pays d'Afrique du Nord, en Libye, qu'en 1922, la température atteignit 58 °C (136 °F). Si tu regardes le thermomètre de ta maison ou de ton école, tu verras qu'il n'atteint jamais un chiffre aussi élevé.

Fait-il toujours chaud dans le désert ?

Non. Lucy croit que la promesse « je t'aimerai jusqu'à ce que le sable du désert soit froid » veut dire pour toujours, mais c'est faux. Le sable des déserts devient froid presque toutes les nuits. Dans la journée, le soleil chauffe le sable, mais, la nuit, le sable ne peut garder sa chaleur. Dans les déserts, l'air est sec, l'humidité ne peut aider le sol à garder sa chaleur, aussi, dès que le soleil se couche, la chaleur s'échappe-t-elle dans l'espace.

Pourquoi les déserts sont-ils si secs ?

Parce qu'il y tombe très peu de pluie. Beaucoup de déserts sont séparés de la mer par des montagnes ; or le vent venu de la mer transporte de l'humidité. Quand ce vent passe sur les montagnes, il se refroidit, abandonne son humidité sous forme de pluie ou de neige, et lorsqu'il arrive au désert, il est complètement sec et le pays, peu arrosé, devient un désert.

Le désert d'Atacama, au Chili, n'a pas reçu de pluie depuis plus de 400 ans !

Où pleut-il le plus sur terre ?

A un endroit de l'île Kauaï dans les Hawaï, où il tombe 1 168 centimètres d'eau chaque année. C'est à peu près 1 000 centimètres de plus que dans la plupart des pays d'Europe. Si tu remplissais un long tube avec 1 168 centimètres d'eau, le niveau s'élèverait à la hauteur d'un quatrième étage.

Qu'est-ce qui fait souffler le vent ?

L'air qui nous entoure est toujours en mouvement ; il se déplace parce que sa température n'est pas la même à tous les endroits. Quand l'air est chauffé par le soleil, il devient plus léger, alors il monte jusqu'à un endroit où il fait plus froid.

L'air plus froid descend jusqu'aux zones chaudes. Ce mouvement constitue le vent.

Il y a deux sortes de vents : l'une souffle sur des zones limitées. Par exemple, à un endroit nuageux, l'air est plus froid qu'à un endroit ensoleillé. La différence de température fait se déplacer l'air ; le vent souffle.

La deuxième sorte de vents est ce qu'on appelle les vents planétaires ; ils soufflent sur de très grandes étendues de la terre et soufflent tout le temps. Ils se déplacent entre les zones froides du voisinage des pôles et les zones chaudes du voisinage de l'équateur. Ces vents planétaires déplacent les nuages et les orages d'un point à l'autre de la planète.

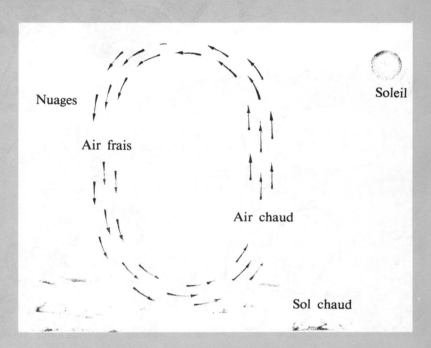

Quelle vitesse peut atteindre le vent ?

Près du sol, le vent ne souffle en général pas trop fort, plus lentement qu'une auto sur une route, à 80 kilomètres à l'heure. Plus haut, les vents soufflent plus fort et peuvent atteindre 370 kilomètres à l'heure, par exemple, au sommet du mont Washington, aux États-Unis. Le vent le plus rapide jamais mesuré le fut lors d'une tornade, il soufflait à 448 kilomètres à l'heure.

Qu'est-ce qu'une tornade ?

C'est un violent courant d'air qui peut traverser tout un pays. Il se présente comme une colonne de vent montant du sol jusqu'à un gros nuage noir. Le vent y tourbillonne en un cercle de la taille de deux ou trois terrains de football. Ce tourbillon ne contient que très peu d'air en son centre ; il agit comme un gigantesque aspirateur qui aspire tout sur son passage. Toitures, cabanes, autos, animaux, personnes et même voies ferrées s'envolent et peuvent retomber loin de leur point de départ. C'est ce qui arrive à Dorothée et à son chien Toto dans le conte « Le Magicien d'Oz ». Une tornade peut aussi aplatir un bâtiment ou le faire éclater.

Le vent d'une tornade peut tourbillonner à 448 kilomètres à l'heure, mais l'ensemble de la tornade, tournant comme une toupie, se déplace de 30 à 60 kilomètres à l'heure, comme une auto dans une rue.

Qu'est-ce qu'un typhon ?

C'est un très violent tourbillon d'air qui prend naissance en mer. Il est constitué, lui aussi, de vents tourbillonnants, mais il occupe une surface immense pouvant avoir 450 à 650 kilomètres de diamètre. Les deux images ci-dessous montrent la différence de taille entre une tornade et un typhon.

A l'intérieur d'un typhon, le vent tourbillonne de 120 à 350 kilomètres à l'heure, ce n'est pas aussi rapide que dans une tornade, mais cela revient à peu près au même. Un typhon produit, sur l'océan, de gigantesques vagues qui peuvent engloutir des navires. Vent, vagues peuvent littéralement arracher des bâtiments et des arbres, sur des îles ou des zones côtières. Un typhon amène avec lui de très fortes pluies qui peuvent — comme les vagues — causer des inondations et noyer bêtes et gens.

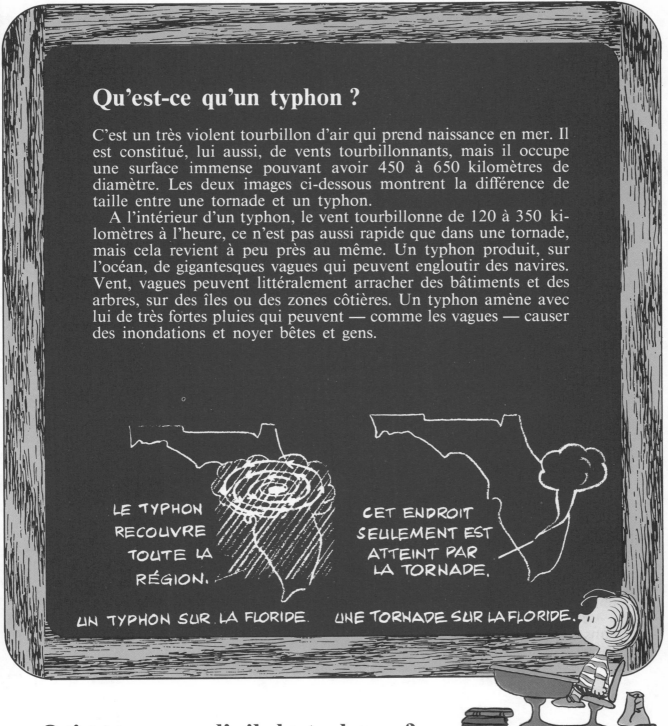

LE TYPHON RECOUVRE TOUTE LA RÉGION.

CET ENDROIT SEULEMENT EST ATTEINT PAR LA TORNADE.

UN TYPHON SUR LA FLORIDE.

UNE TORNADE SUR LA FLORIDE.

Qu'est-ce que « l'œil du typhon » ?

Le centre du typhon est un endroit calme d'où l'on peut voir le ciel. C'est cela « l'œil » du typhon. Il a environ 30 kilomètres de diamètre. Beaucoup de gens croient que le typhon est passé lorsque l'œil du typhon les atteint, alors le vent tombe, le ciel devient clair. Mais cette zone de calme se déplace, et, au bout d'une heure ou deux, l'autre partie du typhon arrive, amenant des vents encore plus terribles, et des pluies encore plus violentes.

Où vont les flaques d'eau quand elles sèchent ?

Après une averse, on voit des flaques d'eau dans les rues. Quelques heures plus tard, les flaques ont disparu. Que sont-elles devenues ? Elles se sont évaporées, ce qui veut dire que leur eau s'est élevée dans l'air en s'y incorporant. Sous cette forme, l'eau s'appelle de la vapeur d'eau.

Il y a toujours de la vapeur d'eau dans l'air. On ne peut la voir parce qu'elle existe sous forme de toutes petites particules éloignées les unes des autres, et elles sont si petites qu'on ne pourrait les voir qu'avec un microscope.

La vapeur d'eau ne provient pas seulement des flaques d'eau, car l'eau est toujours en train de s'évaporer dans les endroits où il fait chaud : au-dessus de la mer, des lacs, des étangs, des rivières, des ruisseaux.

Qu'est-ce que l'humidité ?

C'est la quantité de vapeur d'eau qu'il y a dans l'air. S'il y en a beaucoup, l'humidité est forte, s'il y en a peu, l'humidité est faible.

De quoi est fait un nuage ?

Un nuage est fait de minuscules gouttelettes d'eau. Il y a toujours de la vapeur d'eau dans l'air. Si l'air est chaud, il est léger et s'élève ; en s'élevant, il se refroidit. Mais l'air froid ne peut pas contenir autant de vapeur d'eau que l'air chaud, alors les particules de vapeur d'eau se rejoignent, elles se condensent. Cela se fait autour de minuscules grains de poussière en suspension dans l'air. On a alors des gouttelettes d'eau. Si l'air est bien froid, ces gouttelettes forment de très petits fragments de glace, appelés cristaux.

Les gouttelettes d'eau et les cristaux de glace sont assez légers pour flotter dans l'air. On ne peut voir ni les gouttelettes ni les cristaux, mais lorsqu'ils sont rassemblés en très grande quantité, ils forment les nuages.

Qu'est-ce que le brouillard ?

Ce n'est qu'un nuage qui se forme près du sol. Si tu marches dans le brouillard, tu ne peux pas apercevoir les petites gouttelettes d'eau qui le composent, mais tu les sens sur ton visage. Le brouillard peut être si épais qu'il empêche de voir.

Qu'est-ce que le « smog » ?

C'est un mot formé par la combinaison de deux mots anglais : smoke (fumée) et fog (brouillard) qui représentent bien ce que c'est.

Il y a toujours de la poussière dans l'air, mais dans les villes, il y a d'autres particules dans l'air : de la suie et de la fumée venant des cheminées ou des usines ou des échappements d'autos. On dit que l'air est pollué. Lorsqu'il y a du vent, celui-ci chasse ces particules, mais lorsque l'air est calme, une véritable couverture d'air humide et lourd reste en suspens au-dessus de la ville. Autour des particules sales, des gouttelettes d'eau s'accumulent, formant un nuage qui est de teinte très foncée, c'est le smog. Si tu le respires, cela peut te faire mal aux poumons. Le smog est la pire des pollutions aériennes.

D'où vient la rosée ?

C'est l'humidité de l'air qui se condense en gouttes d'eau sur les feuilles et sur l'herbe. Pendant la journée, le soleil réchauffe la terre, mais durant la nuit, la terre et l'air avoisinant se refroidissent, ainsi que l'herbe et les plantes. L'air froid ne pouvant contenir autant d'humidité que l'air chaud, une partie de l'humidité de l'air froid se condense en gouttes d'eau sur l'herbe et les feuilles. C'est cela la rosée.

Qu'est-ce que le givre ?

C'est comme de la rosée, mais lorsque la nuit est très froide, l'humidité de l'air devient de la glace — ou givre — au lieu de devenir de l'eau. Ce givre se dépose sur l'herbe et les plantes.

Qui est-ce qui dessine les « fleurs » de givre sur les vitres ?

Personne, bien entendu ! Les « fleurs » de givre qui apparaissent à la surface intérieure des vitres par les nuits glaciales sont faites de glace.

D'abord, la vitre est chauffée par l'air chaud de la maison, et l'air qui avoisine la vitre est chaud aussi, mais lorsque la température extérieure tombe rapidement au-dessous de zéro, le verre devient glacé et refroidit l'air qui l'environne, même à l'intérieur de la maison. Alors la vapeur d'eau se condense en givre sur la vitre. Si la température de la vitre était au-dessus du point de congélation, il se serait alors déposé de la buée.

Pourquoi peut-on voir son haleine quand il fait froid ?

Si tu sors par un temps très froid et que tu souffles, tu verras alors un petit nuage dans l'air. Ton haleine est humide et chaude, parce qu'elle vient de l'intérieur de ton corps qui est chaud. Si tu souffles, ton haleine va se refroidir brusquement au contact de l'air froid, une partie de son humidité se condensera en gouttelettes d'eau, et cela formera un petit nuage de vapeur.

D'où vient la pluie ?

La pluie vient des nuages. Quand un nuage grossit, les gouttelettes qu'il contient se heurtent les unes aux autres, se rejoignent en formant de grosses gouttes trop lourdes pour flotter dans l'air ; elles tombent et c'est la pluie.

69

Les gouttes de pluie n'ont pas la forme de larmes, elles sont parfaitement rondes !

Pourquoi avons-nous besoin de la pluie ?

Il nous arrive à tous de souhaiter voir la pluie cesser et même ne plus tomber, car la pluie peut gâcher un pique-nique ou une partie de football. Mais la pluie est indispensable à la vie.

Sans pluie, les plantes mourraient, car il leur faut de l'eau pour vivre et croître. Les animaux — dont les hommes — mourraient aussi, car ils n'auraient pas d'eau pour boire et pas de plantes pour manger. Rien sur terre ne pourrait vivre.

VOICI L'AS DE LA GRANDE GUERRE APPORTANT L'AIDE DE SES TALENTS À LA SCIENCE : IL ENSEMENCE LES NUAGES POUR FAIRE PLEUVOIR. HÉ ALORS, LES NUAGES, PLEUVEZ, PLEUVEZ... !!!

Peut-on faire pleuvoir ?

C'est possible en répandant sur les nuages des produits chimiques qui aident les gouttes d'eau à se former plus rapidement. On dit qu'on « ensemence » les nuages. Cela ne marche pas toujours. Quand, au-dessus des régions sèches, il n'y a pas de nuages, on ne peut rien faire.

Certains peuples prient ou exécutent des danses pour faire pleuvoir ; parfois, après ces prières ou ces danses, il pleut, mais les savants ne croient pas que ce soit à cause des prières ou des danses.

70

Quelle est la cause des orages ?

Les orages se produisent lorsque de gros nuages cotonneux, appelés cumulus, culminent très haut dans le ciel. Quand on les voit de loin, éclairés par le soleil, ils sont tout blancs et beaux, mais lorsqu'ils passent au-dessus de nous, ils sont tout noirs.

Les cumulus se forment par temps chaud et humide, quand le sol très chaud réchauffe l'air humide qui le surmonte. L'air chaud monte alors plus vite et plus haut qu'à l'ordinaire, les gouttelettes d'eau se rassemblent en très gros nuages, dont certains montent à plusieurs kilomètres de haut. Dans ces nuages, l'air chaud se refroidit rapidement et descend à la partie inférieure, là il se réchauffe et remonte. Ce mouvement se poursuit et produit un violent courant d'air à l'intérieur du nuage. De grosses gouttes d'eau se forment vite, des éclairs luisent, le tonnerre gronde.

Qu'est-ce qu'un éclair ?

C'est une gigantesque étincelle électrique. Il y a de l'électricité partout autour de nous — et même en nous. Ne t'es-t-il jamais arrivé en passant sur un tapis et en frôlant quelqu'un de sentir une légère secousse électrique ?

Dans les cumulus, il s'amasse une grande quantité d'électricité, et lorsque deux nuages se rapprochent, une gigantesque étincelle jaillit entre eux. C'est l'éclair. Lorsque cette étincelle se produit entre un nuage et la terre, c'est la foudre.

Chaque jour, à chaque seconde, la foudre frappe la terre environ 100 fois !

Qu'est-ce que le tonnerre ?

Quand l'air est chaud, les petites molécules qui le composent s'agitent de plus en plus vite. Un éclair entre deux nuages réchauffe brusquement l'air, de sorte que les molécules s'agitent avec violence et quand cela se passe alors qu'elles sont extrêmement nombreuses, cela produit un bruit que nous appelons un coup de tonnerre.

Pourquoi voit-on l'éclair avant d'entendre le tonnerre ?

La lumière se propage à une vitesse inimaginable — près de 300 000 kilomètres à la seconde — aussi voit-on la lumière d'un éclair à l'instant où il se produit, même s'il éclate à des kilomètres de nous. Le son, lui, se propage beaucoup plus lentement (environ 330 mètres à la seconde). Si donc un éclair éclate à quelques kilomètres de nous, nous le voyons immédiatement, puis le ciel redevient sombre, et au bout de quelques secondes, le tonnerre se fait entendre.

Peut-on savoir à quelle distance se produit un éclair ?

Si tu commences à compter les secondes dès que tu vois un éclair et que tu t'arrêtes quand tu entends le coup de tonnerre, cela te donnera le nombre de secondes que le son aura mis à te parvenir. A raison d'à peu près trois secondes pour un kilomètre, tu peux savoir, par le calcul, à quelle distance se trouvait l'éclair. Si tu avais compté 5 secondes, c'est que l'éclair se trouvait à environ un kilomètre et demi, si tu en avais compté 9, c'est que l'éclair se trouvait à trois kilomètres de toi.

Peut-on être blessé par le tonnerre ou par un éclair ?

Pas par le tonnerre, mais certainement par un éclair, lorsqu'il éclate entre un nuage et la terre. La foudre est de l'électricité, une gigantesque étincelle électrique qui peut brûler tout ce qu'elle touche.

D'ordinaire, la foudre frappe les objets élevés, une « tour » dans une ville, un grand arbre dans un champ, un bateau à voiles, en mer. Les tiges métalliques des paratonnerres ou les antennes de télévision peuvent conduire la foudre jusqu'au sol en toute sécurité et ainsi préserver une maison.

Un avion ou une auto, entièrement métalliques, peuvent protéger les gens qui sont à l'intérieur ; cependant, si tu restes sous un arbre pendant un orage, non seulement cela ne te protégera pas, mais cela pourra même attirer la foudre. Aussi, si tu te trouves en rase campagne, pendant un orage, couche-toi bien à plat sur le sol.

REGARDEZ UN PEU !

TU N'Y PENSES PAS, CHARLIE BROWN, ATTIRER LA FOUDRE AVEC UN CERF-VOLANT, FRANKLIN L'A FAIT BIEN AVANT TOI.

GRAND DIEU !

Qu'est-ce que la grêle ?

La grêle est formée de petits morceaux de glace qui tombent sur terre durant les orages. Ces petites boules de glace — les grêlons — se forment dans les nuages d'orage.

Le sommet des grands cumulus est toujours très froid, par contre, à leur partie inférieure, ils sont beaucoup plus chauds ; à l'intérieur de ces nuages, l'air chaud monte rapidement et l'air froid descend très vite. Il arrive que des gouttes de pluie soient amenées à la partie supérieure du nuage avant de tomber, là, elles se prennent en glace, puis, en descendant, elles accumulent sur elles des couches d'eau glacée. Ainsi, avant qu'elles tombent sur le sol, ces petites gouttes de glace montent et descendent plusieurs fois, et, à chaque fois, des couches de glace s'accumulent sur elles ; ce sont des grêlons. Certains peuvent devenir très gros avant d'atteindre le sol, et sont capables de briser des vitres de fenêtres ou des pare-brise d'autos, ils peuvent aussi déchiqueter les plantes dans les jardins et les champs.

 Il est tombé parfois des grêlons aussi gros que ta tête. On en a mesuré de 43 centimètres de circonférence et on en a pesé un qui atteignait 680 grammes !

Qu'est-ce que le grésyl ?

C'est de la pluie gelée. Il en tombe lorsque l'air au voisinage du sol est glacé. Le grésyl commence sous forme de pluie dont les gouttes gèlent en approchant du sol et forment de petites particules de glace.

Qu'est-ce que le verglas ?

Par certains jours très froids, il pleut, et la pluie gèle en arrivant au sol, formant une couche de glace lisse et glissante qui recouvre les rues et les routes.

La neige est-elle de la pluie gelée ?

Non, la pluie gelée donne du grésyl, pas de la neige. Les flocons de neige se forment dans les nuages.

Les nuages qui flottent dans l'air glacé sont constitués par de minuscules cristaux de glace. Au fur et à mesure que le froid augmente, de la vapeur d'eau se condense autour de ces cristaux qui deviennent de plus en plus gros. Les flocons de neige ne sont pas autre chose que ces cristaux de glace entrelacés et devenus trop lourds pour flotter ; ils tombent alors sous forme de neige.

A quoi ressemblent les flocons de neige ?

Si tu regardes des flocons de neige à la loupe, tu verras qu'ils ressemblent à de magnifiques petites rosaces de dentelle. Ils sont de taille et de dimensions variées, mais ils ont toujours 6 côtés et 6 pointes.

Il n'y a pas deux flocons de neige semblables !

Peut-on compter les flocons de neige ?

Linus et Lucy disent qu'ils comptent les flocons, c'est une plaisanterie. On ne peut pas compter les flocons, il y en a trop et on ne peut les voir tous, ni Linus, ni Lucy, ni toi non plus.

Comment peut-on prévoir le temps du lendemain ?

Le temps de demain est en train de se former au-dessus de nos têtes. Les météorologistes ont des rapports sur l'état de l'atmosphère du monde entier, communiqués par des stations répandues sur toute la terre. Ces stations mesurent les chutes de pluie ou de neige qui ont lieu autour d'elles ; elles enregistrent les températures, l'humidité et la pression de l'air ; elles enregistrent aussi la vitesse des vents planétaires. Navires et avions envoient toutes les heures des messages radio portant sur le temps qu'ils rencontrent. Des satellites prennent des mesures et des photos tout autour de la terre, et envoient des informations et des images. Tous ces éléments sont réunis sur des cartes spéciales qui montrent quelle sorte de temps se prépare, partout où l'on peut être.

78

Qu'est-ce qu'un front froid ou un front chaud ?

Un front froid représente la limite antérieure d'une masse d'air froid qui est une sorte d'énorme bulle d'air qui avance à la surface de la terre en restant bien compacte. Dans cette bulle, la température et l'humidité sont à peu près partout les mêmes, et dépendent du lieu où s'est formée cette masse. Un front froid amène souvent avec lui des averses ou des orages ainsi que du vent.

Un front chaud représente la limite antérieure d'une masse d'air chaud. Il amène souvent avec lui des pluies ou de la neige.

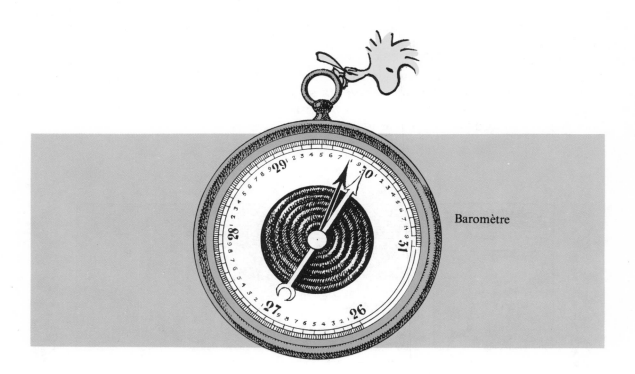

Baromètre

Que veut-on dire par baromètre qui « monte » ?

On dit souvent que le baromètre monte ou baisse. Un baromètre est un instrument qui sert à mesurer la pression de l'air à la surface de la terre. Quand le baromètre monte, cela veut dire que la pression de l'air augmente, quand le baromètre baisse, cela veut dire que la pression de l'air diminue.

(On parle de monter et de descendre parce que les premiers baromètres étaient faits d'un long tube de verre, dans lequel du mercure montait ou descendait selon la pression de l'air.)

Quand on connaît la pression de l'air, on peut commencer à prévoir le temps. Quand la pression augmente, le ciel va s'éclaircir et il fera beau. Quand la pression diminue, un temps orageux doit certainement venir vers nous.

Les lettres H.P. entourées d'un cercle indiquent le centre d'une zone de haute pression, les lettres B.P. indiquent le centre d'une zone de basse pression.

Les prévisions météorologiques sont-elles utiles ?

Elles annoncent le temps qu'il va faire, cela nous permet de savoir comment nous habiller. Elles avertissent les cultivateurs de la venue des gelées qui peuvent détruire les récoltes. Elles préviennent les gens habitant dans les zones maritimes de la venue d'un typhon, et ailleurs, de l'arrivée d'une tornade, cela permet à ces gens de fermer leurs maisons et de se mettre à l'abri. En hiver, les skieurs sont informés des chutes de neige. En été, les gens savent quel temps il fera sur les plages. Elles avertissent de la venue et de l'épaisseur du brouillard ; elles annoncent quand il y aura du verglas sur les routes, elles permettent aux pilotes de choisir une route de vol plus sûre.

Malheureusement, le temps ne suit pas toujours les prévisions météorologiques. Parfois, le vent change de direction et amène des nuages d'orage là où on ne les attendait pas. Parfois, les vents se renforcent ou s'affaiblissent, alors un nouveau type de temps arrive plus tôt ou plus tard que prévu. Néanmoins, les prévisions météorologiques rendent de grands services.

Étoiles et planètes

Qu'est-ce qu'une étoile ?

Si tu regardes le ciel par une nuit claire, tu aperçois une quantité de petits points lumineux qui scintillent : ce sont les étoiles. Ce sont de gigantesques boules de gaz chauds et incandescents. Elle émettent de la lumière, comme le fait le Soleil ; d'ailleurs le Soleil est une étoile. Les autres étoiles paraissent bien plus petites que le Soleil, parce qu'elles sont beaucoup plus éloignées de la Terre que le Soleil.

Qu'est-ce qui rend les étoiles lumineuses ?

Les étoiles émettent leur lumière propre, parce qu'elles sont très chaudes. Une énorme masse de gaz pèse sur le centre de l'étoile et cause cette terrible chaleur.

Pourquoi les étoiles scintillent-elles ?

Elles ne scintillent pas vraiment, elles paraissent scintiller. La Terre est entourée d'une épaisse couche d'air que la lumière venant des étoiles doit traverser. Ce faisant, cette lumière subit des déviations successives et répétées, à cause de l'humidité de l'air, de ses variations de température et de son agitation continuelle ; c'est ce qui fait que les étoiles paraissent scintiller.

Il y a bien longtemps de cela, les gens croyaient que les étoiles étaient des lampes suspendues à une immense voûte !

81

Combien y a-t-il d'étoiles dans le ciel ?

Par une nuit très claire, on peut voir environ 2 000 étoiles ; avec un petit télescope on peut en voir des milliers d'autres et avec un télescope puissant on peut en voir des millions. Les savants construisent des télescopes toujours plus puissants, avec lesquels on découvre de plus en plus d'étoiles. Mais personne ne sait vraiment combien il y a d'étoiles.

Comment agit un télescope ?

Un télescope fait apparaître les choses beaucoup plus grandes qu'elles ne le sont réellement. A peu près comme le fait une loupe, mais en bien plus puissant. Un télescope rend aussi les choses plus brillantes.

Lorsque tu regardes dans un télescope, les choses éloignées paraissent plus proches et plus claires. C'est pourquoi on utilise depuis longtemps des télescopes pour étudier les étoiles et les planètes.

Il existe maintenant d'autres espèces de télescopes qui n'ont rien à voir avec l'optique, ce sont les radio-télescopes. Ils captent les vibrations, appelées ondes radio-électriques, qui viennent de l'espace. Toutes les étoiles, ainsi que certaines planètes, émettent de telles ondes, ainsi d'ailleurs que d'autres objets lointains. En écoutant les ondes radio-électriques, les savants approfondissent leur connaissance de l'espace.

Y aura-t-il toujours les mêmes étoiles dans le ciel ?

Non. Les vieilles étoiles meurent et de nouvelles étoiles naissent. Certaines étoiles ne durent que quelques millions d'années, d'autres vivent longtemps, des centaines de millions d'années. Mais toutes finissent, soit par exploser, soit par rapetisser, et cessent de briller. Pendant ce temps, de nouvelles étoiles naissent à partir des gaz et de la poussière de l'espace.

 La lumière met plusieurs millions d'années pour nous parvenir d'une étoile lointaine. Ce qui fait que certaines étoiles que l'on voit dans le ciel ont disparu depuis très longtemps !

Où vont les étoiles pendant la journée ?

Elles ne vont nulle part, elles sont toujours dans le ciel, mais la lumière éclatante du soleil nous empêche de les voir. Ce n'est qu'à la tombée de la nuit qu'elles commencent à être visibles.

Quelle est la taille des étoiles ?

Ce sont les plus gros objets que l'on connaisse. Notre Soleil est une étoile et il est plus d'un million de fois plus gros que la Terre ; et pourtant ce n'est qu'une étoile de taille moyenne comme beaucoup d'autres étoiles. Certaines, appelées naines, sont beaucoup plus petites — de la taille de la Terre à peu près. D'autres, appelées géantes ou super-géantes, sont beaucoup plus grosses que le Soleil. Les plus grandes super-géantes connues sont environ 500 fois plus grosses que le Soleil.

Il y a des étoiles de toutes couleurs : bleues, blanches, jaunes, orangées, rouges !

Qu'est-ce que la Grande Ourse ?

C'est un groupe d'étoiles brillantes qui — a-t-on pensé jadis — ressemble un peu à un ours. La Grande Ourse est un de ces groupes d'étoiles auxquels on donne un nom d'après leur forme apparente. Ces groupes sont des constellations.

MIZAR

ÉTOILE POLAIRE

GRANDE OURSE

JE PENSAIS QU'ON APPELAIT ÉTOILE DOUBLE QUELQUE CHOSE COMME ALAIN DELON ET JEAN-PAUL BELMONDO. HA, HA, HA! MAIS OUI.

Existe-t-il des étoiles doubles ?

Oui, il y en a des milliers. Une étoile double est formée par deux étoiles voisines qui tournent l'une autour de l'autre. Mizar — une étoile de la Grande Ourse — est double. Elle est si éloignée de nous, que sans télescope, on ne peut pas voir qu'il y en a deux. La plupart des étoiles doubles nous apparaissent comme des étoiles simples si on ne les observe pas au télescope.

Comment, lorsqu'on est perdu, la nuit, peut-on se guider sur les étoiles ?

Tu peux te guider sur l'Étoile Polaire, une étoile très importante. Contrairement à ce que dit Lucy, il n'y a pas d'étoile de l'Ouest ou de l'Est. Il est facile de trouver l'Étoile Polaire qui est sur l'alignement des deux étoiles situées à l'avant de la Grande Ourse.

Si tu regardes l'Étoile Polaire, tu fais face au Nord, tu as l'Est à ta droite, l'Ouest à ta gauche et le Sud derrière toi. Si ta maison se trouve au Sud, tu te tournes et tu marches en t'éloignant de l'Étoile Polaire.

Quelle est l'étoile la plus proche de la Terre ?

C'est le Soleil. Il est à 150 millions de kilomètres de la Terre. Ça ne paraît pas très proche et pourtant ça l'est assez pour que nous recevions lumière et chaleur.

Quelle est la température du Soleil ?

La surface du Soleil est à une température d'environ 5 500 °C. Tous les métaux connus sont liquides à cette température, et, sur Terre, tout serait brûlé. Mais l'intérieur du Soleil est à environ 16 millions de degrés C.

Les anciens Égyptiens croyaient que le Soleil naissait tous les jours de l'œuf d'une oie céleste !

Qu'est-ce que l'univers ?

Le mot « univers » veut dire : qui fait un tout. Le Soleil, la Lune, les étoiles, la Terre et tout ce qui s'y trouve, les planètes ; tout ce à quoi tu peux penser constitue l'univers. Tout l'espace et tout ce qui est dans l'espace constitue une partie de l'univers. Celui-ci s'étend bien au-delà de ce que l'on peut voir dans les plus puissants télescopes. La plupart des savants pensent que l'univers a des limites, mais personne ne sait où elles sont.

Qu'est-ce qu'une galaxie ?

C'est un immense groupement d'étoiles assez proches les unes des autres — proches en terme d'étoiles. Elles s'étendent sur des millions de kilomètres. A travers un télescope, une galaxie ressemble à une île. Chacune contient des milliards d'étoiles. Les savants ne savent pas combien il y a de galaxies dans l'univers, mais il doit y en avoir des millions de millions.

Toutes les galaxies de l'univers s'éloignent les unes des autres à une vitesse terrifiante. Elles continueront probablement à le faire éternellement !

Qu'est-ce que la Voie Lactée ?

Si l'on regarde le ciel nocturne, on peut y voir une traînée lumineuse. C'est ce qu'on appelle la Voie Lactée. Cette traînée est faite de millions d'étoiles qu'on ne peut discerner séparément, car elles sont trop éloignées de nous.

Cette traînée de lumière n'est qu'une partie de la galaxie qu'on appelle la galaxie de la Voie Lactée. Elle contient aussi toutes les étoiles que nous voyons dans le ciel et qui, elles, sont plus proches de nous que celles de la traînée, aussi les voyons-nous séparément. Notre propre étoile — le Soleil — ainsi que la Terre, font partie de la galaxie de la Voie Lactée.

Si l'on voyait cette galaxie de l'extérieur et de très loin, elle apparaîtrait comme une grande bande de lumière avec un renflement au milieu. D'un autre point de l'espace, notre galaxie apparaîtrait comme une île en forme de spirale brillante.

Qu'est-ce qu'un système solaire ?

C'est une famille d'objets en forme de boules. Cette famille consiste en une étoile — le Soleil — située au centre, et en un certain nombre de planètes qui tournent autour d'elle. La Terre fait partie d'un système solaire dont le Soleil est le centre et est entouré de neuf planètes. La Terre est une de ces planètes.

Comment naquit
notre système solaire ?

Les savants ne le savent pas avec certitude, mais on pense qu'il provient d'un immense nuage de poussières en forme de crêpe. Pour une raison inconnue, la « crêpe » se mit à tourner. En tournant de plus en plus vite, le centre devint très chaud ; ce fut l'origine du Soleil. En même temps, des « grumeaux » se détachèrent des bords et formèrent neuf planètes.

Vue latérale de la Voie Lactée

Vue en plan de
la Voie Lactée

Quelles sont les planètes de notre système solaire ?

Il y a neuf planètes dans notre système solaire. La plus proche du Soleil est Mercure. Viennent ensuite Vénus, la Terre, Mars, Jupiter, Saturne, Uranus, Neptune et Pluton. Outre les planètes, notre système renferme aussi des astéroïdes.

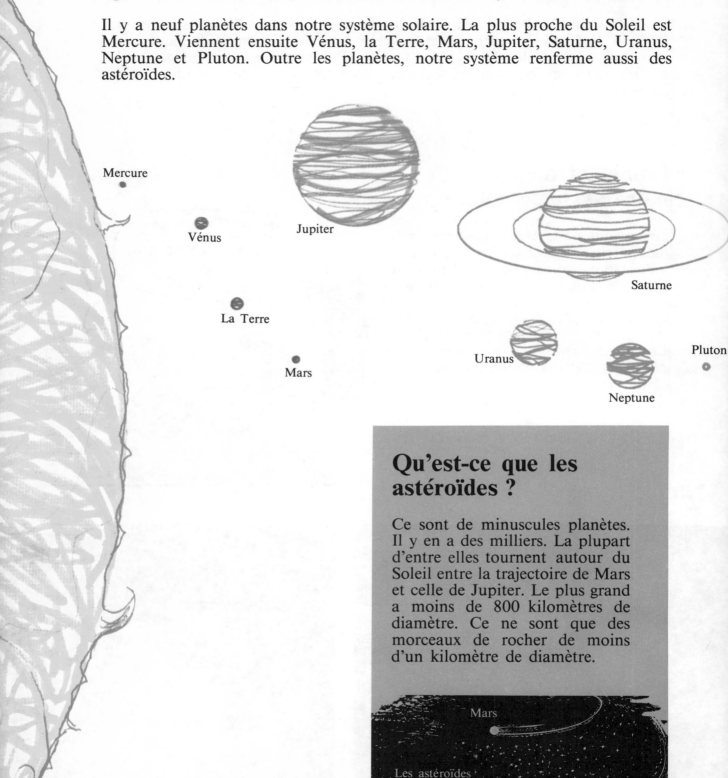

Mercure

Vénus

Jupiter

Saturne

La Terre

Mars

Uranus

Neptune

Pluton

Qu'est-ce que les astéroïdes ?

Ce sont de minuscules planètes. Il y en a des milliers. La plupart d'entre elles tournent autour du Soleil entre la trajectoire de Mars et celle de Jupiter. Le plus grand a moins de 800 kilomètres de diamètre. Ce ne sont que des morceaux de rocher de moins d'un kilomètre de diamètre.

Mars

Les astéroïdes

Jupiter

Peut-on voir quelques-unes des neuf planètes sans télescope ?

Mais oui, nous pouvons en voir six : Mercure, Vénus, Mars, Jupiter, Saturne et Uranus. Uranus est très difficile à apercevoir, car elle est très éloignée. Mercure est encore plus difficile à voir parce qu'elle est très petite. Lorsqu'il fait nuit, tu peux reconnaître une planète du fait qu'elle brille sans scintiller. A part Mercure, les planètes ne scintillent pas.

L'étoile du matin (ou du berger) qui est la première étoile à briller dans le ciel n'est pas une étoile, c'est une planète : soit Mercure ou Vénus, ou même Mars, Jupiter ou Saturne !

Les autres planètes ressemblent-elles à la Terre ?

Pas vraiment. Seule la Terre a de l'air et de l'eau. Mercure est un monde sans air et sans vie qui, dans la journée, est une fournaise, vu la proximité du soleil. Vénus, entourée d'une épaisse couche de nuages, est aussi très chaude. Mars est glaciale et a trop peu d'air. Jupiter n'a probablement pas de surface solide, elle doit être faite de liquides chauds. Les autres planètes sont certainement gazeuzes et glaciales.

Quelles sont les planètes qui ont des lunes ?

Six planètes ont des lunes : la Terre en a une, Mars en a deux, ainsi que Neptune. Uranus en a cinq, Saturne dix et Jupiter quatorze. Chaque lune décrit un cercle autour de sa planète.

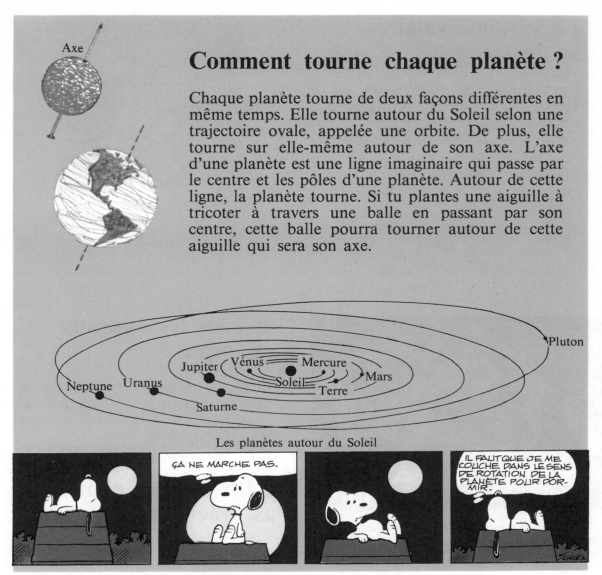

Comment tourne chaque planète ?

Chaque planète tourne de deux façons différentes en même temps. Elle tourne autour du Soleil selon une trajectoire ovale, appelée une orbite. De plus, elle tourne sur elle-même autour de son axe. L'axe d'une planète est une ligne imaginaire qui passe par le centre et les pôles d'une planète. Autour de cette ligne, la planète tourne. Si tu plantes une aiguille à tricoter à travers une balle en passant par son centre, cette balle pourra tourner autour de cette aiguille qui sera son axe.

Les planètes autour du Soleil

Comment se fait-il que les planètes ne se tamponnent pas ?

C'est impossible, car chacune d'entre elles se déplace autour du soleil sur des orbites éloignées de millions de kilomètres les unes des autres, et une planète ne sort pas de son orbite.

Les planètes ne se tamponnent pas en se déplaçant parce qu'elles sont polies — contrairement à certaines personnes de ma connaissance.

91

Le système solaire se déplace-t-il ?

Oui. Le Soleil et ses planètes tournent autour du centre de notre galaxie. Le système solaire entier se déplace à raison de 280 kilomètres à la seconde.

Saturne, cette énorme planète, est si légère qu'elle pourrait flotter sur l'eau !

Que sont les anneaux de Saturne ?

Ce sont trois anneaux constitués par des millions de petits fragments de poussière, recouverts de glace qui tournent autour de la planète.

Quelle est la planète la plus proche de la Terre ?

C'est Vénus. Elle est presque toujours aussi éloignée de nous que nous le sommes du Soleil.

Quelle est la planète la plus éloignée de la Terre ?

C'est Pluton. Elle est environ quarante fois plus éloignée du Soleil que nous le sommes.

Pluton est une planète si éloignée du Soleil qu'elle ne connaît pas la lumière du jour, mais toujours l'obscurité de la nuit !

Quelle est la plus grosse planète ?

C'est Jupiter. Elle pourrait contenir facilement toutes les autres planètes.

Vu de Pluton, le Soleil n'est qu'une étoile parmi les autres !

Quelle est la plus petite planète ?

On pense, en général, que c'est Mercure, à peine plus grosse que notre lune. Mais les savants pensent que ce serait Pluton, sans en être très sûrs.

Quelle est la taille de la Terre ?

Elle est à peu près dix fois plus grosse que Mercure ; cela veut dire que dix planètes comme Mercure pourraient être contenues dans la Terre. Mais la Terre est environ 1 300 fois plus petite que Jupiter, ce qui veut dire que 1 300 planètes de la taille de la Terre pourraient être contenues dans Jupiter.

Si l'on pouvait creuser un tunnel d'un côté à l'autre de la Terre en passant par son centre, ce tunnel aurait environ 12 800 kilomètres de long. C'est plus que 100 000 terrains de football placés les uns à la suite des autres. Si tu voulais marcher tout autour de la Terre, tu devrais parcourir 40 000 kilomètres.

Qu'est-ce qui fait lever le Soleil ?

Comme le dit Linus, le Soleil ne se lève pas, c'est la Terre qui tourne. La Terre tourne autour de son axe. Si tu as une mappemonde en classe ou chez toi, tu peux faire une expérience sur le « lever » du Soleil. Dispose une lampe de manière à éclairer la mappemonde ; cette lampe c'est le Soleil. Tu peux voir que la lumière ne frappe qu'une partie du globe terrestre.

   Maintenant fais tourner lentement la mappemonde ; au fur et à mesure qu'elle tourne, la partie éclairée change. De même, lorsque la Terre tourne, la partie éclairée change. Quand la partie de la Terre où tu vis ne fait pas face au Soleil, c'est la nuit. Quand la Terre tourne, la partie où tu vis entre dans la zone de lumière, alors le Soleil paraît se lever dans le ciel : c'est le jour.

Pourquoi y a-t-il des saisons ?

Il faut un an à la Terre pour faire un tour complet autour du Soleil. L'axe de la Terre n'est pas parfaitement droit, il est un peu incliné. C'est cette inclinaison qui produit les saisons. Lorsque la partie de la Terre sur laquelle tu vis est inclinée vers le Soleil, tu reçois le plus de chaleur et tu bénéficies du plus grand nombre d'heures d'ensoleillement : c'est l'été. Lorsque la partie où tu vis s'incline dans la direction opposée à celle du Soleil, tu as moins de chaleur et de lumière : c'est l'hiver. Entre ces deux positions, c'est l'automne ou le printemps.

A quelle vitesse la Terre tourne-t-elle autour du Soleil ?

Les savants ont calculé que la Terre se déplace autour du Soleil à 107 200 kilomètres à l'heure. C'est mille fois plus vite qu'une auto lancée sur une route. Pendant que tu lis cette réponse, la Terre a dû parcourir près de 500 kilomètres dans l'espace.

Pourquoi ne sent-on pas la Terre se déplacer ?

Parce que ce déplacement est très doux, très souple. Lorsque tu es en auto, tu sais que tu avances, même si tu fermes les yeux. Ceci parce que le déplacement se fait avec des frottements et de légers chocs. Si tu fermes les yeux lorsque tu voyages en avion à réaction, tu ne sens pas le déplacement parce que l'avion se déplace sans heurts. Le mouvement de la Terre dans l'espace est encore plus doux, aussi ne le sent-on pas.

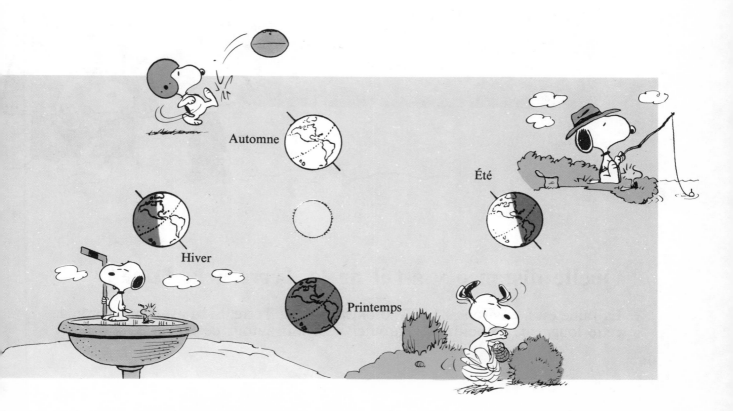

Automne

Été

Hiver

Printemps

Pourquoi la Lune brille-t-elle ?

La Lune n'a pas de lumière propre, elle ne fait que refléter, renvoyer les rayons lumineux qui lui parviennent du Soleil. Ce sont ces rayons réfléchis qui atteignent la Terre et tes yeux. Lorsqu'il y a du soleil, il arrive que les lunettes d'un de tes camarades reflètent le Soleil comme le fait la Lune ; la lueur qu'elles te renvoient n'est pas leur lumière, ce sont les rayons réfléchis du Soleil.

De même que le Soleil éclaire toujours une partie quelconque de la Terre, il éclaire toujours une partie quelconque de la Lune et celle-ci reflète toujours les rayons du Soleil, mais tu ne peux apercevoir cela pendant la journée, car alors le Soleil éclaire aussi la partie de la Terre où tu vis. Comme la lumière directe du Soleil est beaucoup plus brillante que la lumière réfléchie par la Lune, tu ne vois pas cette dernière lumière. La nuit, comme aucune autre lumière ne te gêne, tu vois la Lune « briller ».

Les rayons du Soleil sont réfléchis aussi par la Terre. Si tu te trouvais dans l'espace, tu verrais la Terre briller encore plus fort que la Lune !

Quelle distance y a-t-il de la Terre à la Lune ?

La Lune est à environ 384 000 kilomètres de la Terre. Si tu avais une corde de cette longueur, tu pourrais l'enrouler neuf fois autour de la Terre.

Pourquoi voit-on toujours la même face de la Lune ?

De même que la Terre se déplace de deux manières différentes, la Lune tourne aussi de deux manières différentes. Elle tourne autour de son axe et décrit une orbite autour de la Terre. Il faut à la Lune 27 jours 7 heures et 43 minutes pour faire un tour complet sur son axe, et il lui faut le même temps pour tourner autour de la Terre. C'est pourquoi la Lune tourne toujours la même face vers la Terre et que l'on ne peut en voir la face cachée.

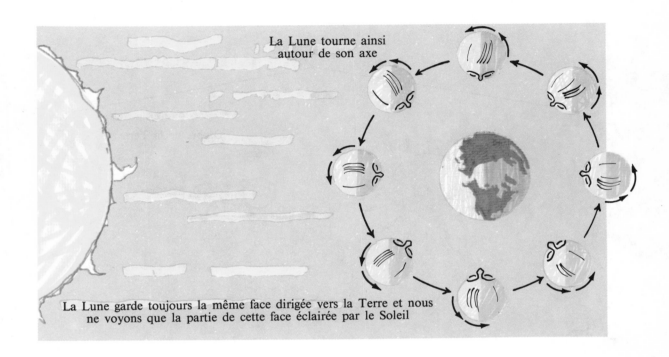

La Lune tourne ainsi autour de son axe

La Lune garde toujours la même face dirigée vers la Terre et nous ne voyons que la partie de cette face éclairée par le Soleil

Pourquoi la Lune ne paraît-elle pas toujours ronde ?

La Lune est éclairée par le Soleil de la même manière que la Terre, mais nous ne voyons qu'une partie de cette face éclairée. Nous ne voyons donc parfois qu'une mince tranche de lune — un croissant — parfois qu'une demi-lune, parfois la Lune entière. La figure ci-dessus te montre ce qui se passe.

DU NERF, LES GARÇONS, ET NOUS SERONS CONDUITS À LA MAISON PAR LA LUMIÈRE DE LA LUNE.

Qu'est-ce qui produit une éclipse de Lune ?

Lorsqu'une lumière éclaire un objet, cela produit une ombre. La Terre ne fait pas exception à cette loi ; quand le Soleil éclaire la Terre, celle-ci projette une ombre du côté opposé. Une éclipse de Lune se produit lorsque la Lune passe derrière la Terre et entre dans son ombre. Comme la Lune est dans l'ombre, la lumière du Soleil ne l'atteint pas et c'est à peine si une faible lueur est reflétée par la Lune qu'on ne voit presque pas. Ce que l'on en voit est rougeâtre. Lorsque la Lune émerge de l'ombre de la Terre, elle brille à nouveau, l'éclipse est finie.

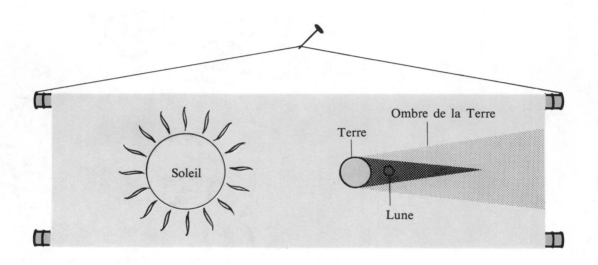

Soleil

Terre

Ombre de la Terre

Lune

Il y a au moins deux éclipses par an, mais il ne peut y en avoir plus de sept !

Qu'est-ce qui produit une éclipse de Soleil ?

Il se produit une éclipse de Soleil, lorsque la Lune passe devant le Soleil. L'ombre de la Lune est projetée sur la Terre et, en certains lieux, la lumière du Soleil est éclipsée par la Lune. Si tu te trouves dans un de ces endroits, tu pourras voir une éclipse de Soleil et tu verras alors le disque rond de la Lune passer devant le Soleil.

Comme regarder le Soleil peut faire très mal aux yeux, il ne faut pas le regarder, même pendant une éclipse.

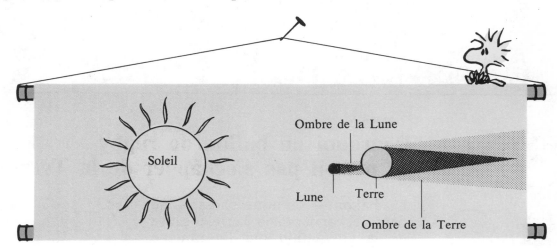

Quelle différence y a-t-il entre une « éclipse totale » et une « éclipse partielle » ?

Lors d'une « éclipse totale », le Soleil ou la Lune sont masqués à la vue dans leur totalité. Lors d'une « éclipse partielle », seule une partie de la Lune ou du Soleil est masquée.

Éclipse totale du Soleil

Éclipse partielle du Soleil

99

> J'AI PERDU TON BALLON, MON GRAND, J'AI SHOOTÉ SI FORT QU'IL N'EST PAS RETOMBÉ...

> NE T'EN FAIS PAS... IL RETOMBERA...

> MON FRÈRE SAIT VRAIMENT TOUT.

Pourquoi un ballon de rugby ne peut-il pas s'échapper de la Terre ?

Un ballon — ou autre chose — ne peut s'échapper de la Terre, à cause de la gravitation qui l'y ramène toujours. La gravitation — ou pesanteur — est une force terrible qui attire les objets vers le centre de la Terre.

La Terre est-elle la seule planète à avoir une force de gravitation ?

Non. Toute planète possède une force de gravitation. Mars attire les objets vers son centre, ainsi que Pluton, Saturne et toutes les autres planètes. En fait, tout objet de l'univers possède sa propre force de gravitation — même un crayon ou un grain de sable. Plus l'objet est gros, plus la force de gravitation est grande. Un petit astéroïde a une force de gravitation très faible. Les étoiles qui sont les plus gros objets de l'univers ont une force de gravitation énorme. C'est la puissante force de gravitation du Soleil qui retient les planètes sur leur orbite.

> LA FORCE DE GRAVITATION LA PLUS PUISSANTE POUR MOI EST CELLE DE MON PLAT À PÂTÉE !!

Qu'est-ce qu'une comète ?

C'est une grosse boule de gaz brillants, de poussière et de glace. Elle se déplace selon une orbite très allongée, en forme de cigare, autour du Soleil. Les comètes visibles sans télescope traînent derrière elles une longue queue gazeuse brillante. La queue d'une comète est toujours dirigée à l'opposé du Soleil, à cause de l'énergie cosmique dégagée par celui-ci qui repousse les gaz lumineux.

QUEUE

TÊTE

Noyau   Chevelure

Une comète peut s'étendre sur 1 600 000 kilomètres !

Pourquoi certaines personnes ont-elles peur des comètes ?

Snoopy et Woodstock ont peur des comètes, mais de nos jours, très peu de gens en ont peur. Il y a bien longtemps, les comètes effrayaient beaucoup les gens. Ceux-ci croyaient que l'apparition brusque d'une comète annonçait des catastrophes : épidémies, guerres, mauvaises récoltes, inondations, mort d'un chef d'État, ou même la fin du monde. Ils craignaient aussi que la comète ne heurte la Terre et ne la détruise. En 1910, la Terre a traversé la queue de la comète de Halley et cela sans dommage. Cependant, une collision frontale avec une comète serait très dangereuse. Par bonheur, aucune comète, sauf celle de Halley, ne s'est jamais approchée de la Terre ; espérons que cela continuera.

101

Qu'est-ce qu'une étoile filante ?

Ce n'est pas une étoile, c'est un brillant éclat de lumière que l'on voit passer dans le ciel par nuit claire. Les savants les appellent des météores. C'est souvent un peu de poussière ou un petit fragment de roche qui traverse l'espace à très grande vitesse et lorsque cette poussière ou ce fragment de roche heurte l'atmosphère, cela produit une très forte chaleur et l'air échauffé devient lumineux. C'est cette longue trace d'air lumineux qui constitue l'étoile filante. Un météore très brillant qui laisse une forte traînée lumineuse en traversant le ciel s'appelle un bolide ou un aérolithe. Sa traînée dure quelques minutes.

Quelle différence y a-t-il entre un météore et une météorite ?

Un météore n'est autre qu'une traînée, un éclat de lumière laissé dans le ciel. Lorsqu'un morceau de roc venu de l'espace entre dans l'atmosphère terrestre à très grande vitesse, il s'échauffe et brûle avant d'atteindre le sol. Une météorite est un morceau de pierre venu de l'espace, qui n'a pas brûlé complètement, en traversant l'atmosphère ; il en est arrivé un fragment au sol.

Qu'est-ce qu'une « pluie d'étoiles filantes » ?

Lorsqu'une grande quantité de météores se manifeste au même endroit du ciel, on dit que c'est une pluie d'étoiles filantes. Elle peut durer de plusieurs heures à plusieurs jours. Les savants pensent que ce sont les petits fragments d'une comète éclatée qui causent ces averses, en traversant l'atmosphère terrestre.

! Lors d'une pluie d'étoiles filantes qui dura 20 minutes, en 1966, on a compté 2 300 météores par minute ! !

VITE, VITE, CHARLIE ! ATTRAPE UNE ÉTOILE QUI TOMBE.

Qu'est-ce que l'astrologie ?

Les gens qui croient à l'astrologie pensent que les étoiles et les planètes sont liées à la vie humaine. Comme tout se déplace dans l'univers, les planètes et les étoiles se trouvent à des endroits différents du ciel selon les jours de l'année. Les gens qui croient à l'astrologie pensent que la position de certaines planètes et de certaines étoiles a une influence sur la vie, influence qui varie selon le jour et le lieu de leur naissance. Ils prétendent que les positions des étoiles et des planètes leur enseignent qui ils sont, la meilleure manière de vivre pour eux et ce qui leur arrivera dans l'avenir. Les informations qu'un expert en astrologie vous donne sur votre avenir s'appellent un horoscope. En général, les savants ne croient pas aux horoscopes.

Les voyages dans l'espace

Qu'appelle-t-on « âge de l'espace » ?

L'âge de l'espace a commencé lorsque les premières fusées furent envoyées dans l'espace. En 1957, les Russes envoyèrent Spoutnik I tourner dans l'espace autour de la Terre. Ensuite, une chienne du nom de Laïka et un singe nommé Sam furent les premiers voyageurs de l'espace.

Le premier homme à tourner autour de la Terre dans l'espace extérieur fut un Russe du nom de Youri Gagarine, en 1961. Un mois plus tard, Alan B. Shepard devint le premier américain à parcourir l'espace. Depuis ce temps, bien d'autres hommes sont allés dans l'espace. C'est pour cela qu'on dit que nous sommes entrés dans l'âge de l'espace.

Qu'est-ce que l'espace ?

Pour la plupart des gens, le mot « espace » désigne l'immense vide qui entoure la Terre ; mais l'espace n'est pas seulement ce qui s'étend entre les étoiles, c'est aussi quelque chose de bien plus proche de nous. A chaque fois qu'on se rend d'un lieu à un autre, on se déplace à travers l'espace.

L'espace a-t-il une fin ?

Les savants n'en savent rien. La portion d'espace qui commence à 160 kilomètres au-dessus de la Terre s'appelle l'espace extérieur. La portion d'espace qui s'étend entre les planètes s'appelle l'espace interplanétaire, il s'étend sur plus de six milliards de kilomètres et contient les neuf planètes qui tournent autour du Soleil. Mais l'espace s'étend plus loin, là où sont les étoiles, c'est l'espace interstellaire.

Jusqu'où s'étend l'espace ? Nul ne le sait.

A qui appartient l'espace extérieur ?

A tout le monde. La plupart des grandes puissances mondiales ont accepté l'idée que l'espace extérieur appartienne à tout le monde.

Pourquoi l'homme explore-t-il l'espace ?

Les hommes ont toujours été intrigués par ce qui est inconnu. Il fut un temps où les gens vivant en un lieu de la Terre ne savaient que bien peu de choses sur le reste du monde et ils voulaient en apprendre le plus possible. Alors, des marins explorèrent les mers et découvrirent de nouvelles terres. Des explorateurs traversèrent des pays inconnus, allèrent au Pôle Nord et au Pôle Sud. Maintenant, on peut considérer que le monde entier est à peu près connu.

Aujourd'hui, ce sont de nouveaux mondes qu'il y a à découvrir. Les hommes veulent savoir ce qu'il y a dans l'espace ; ils veulent en savoir plus sur les planètes et les étoiles.

Des engins spatiaux ont déjà atterri sur Vénus et sur Mars, et même si ces engins n'étaient pas habités, ils ont transmis des photos et des informations scientifiques. Des astronautes ont marché sur la Lune. Dans l'avenir, les hommes pourront aller sur les planètes et en savoir plus long au sujet des lieux inconnus d'eux.

Un avion peut-il voler dans l'espace extérieur ?

Non. Un avion tient en l'air, grâce à l'appui que lui fournit l'air s'écoulant autour de ses ailes lorsqu'il avance. Au-dessus du sol, l'air va en se raréfiant. Vers 30 à 50 kilomètres d'altitude, l'air devient trop ténu pour soutenir un avion. Au-delà de 160 kilomètres, il n'y a pratiquement plus d'air et un avion ne peut plus voler.

Quel est l'aspect du ciel dans l'espace extérieur ?

Quand on est dans l'espace extérieur, on voit le Soleil, la Lune, les étoiles briller dans un ciel toujours noir. Sur Terre, durant la journée, le ciel n'est pas noir, l'air diffuse la lumière du Soleil qui éclaire le ciel et le fait paraître bleu. Autour d'autres planètes, le ciel peut être d'une autre couleur. Des gaz autres que l'air entourent les planètes et diffusent d'une manière différente la lumière du Soleil, mais au-delà des planètes il n'y a pas de gaz, donc pas de diffusion de la lumière. Le ciel paraît noir.

Des photos de la planète Mars ont montré
que son ciel est rose-orangé !

L'espace extérieur est-il chaud ou froid ?

Tout ce qui se déplace dans l'espace est chaud ou froid, ou entre les deux. Les étoiles sont de gigantesques fournaises. Lorsque les courants chauds qui s'en échappent touchent un objet dans l'espace, cet objet devient chaud lui aussi. C'est pour cela que les planètes qui sont proches d'une étoile sont chaudes ou très chaudes. Plus une planète est éloignée de son étoile, plus elle est froide. Mais l'espace dans sa presque totalité n'est pas réchauffé par les étoiles et il est très froid, près de 270 ºC au-dessous de zéro.

Entend-on des sons dans l'espace ?

Non. Lorsqu'une vibration ébranle l'air, les mouvements produits, appelés ondes sonores, se répandent. Les ondes sonores atteignent tes oreilles grâce à l'air, alors tu entends un son. Mais comme il n'y a pas d'air dans l'espace, les ondes sonores ne peuvent s'y propager et tu n'y entends aucun son.

! D'énormes explosions se produisent continuellement sur le Soleil. S'il y avait de l'air entre le Soleil et la Terre, nous entendrions tout le temps le bruit de ces explosions ! **!**

Y a-t-il des nuages dans l'espace ?

On y trouve des nuages, mais différents de ceux de la Terre. L'air chaud et humide monte de la surface de la Terre et se refroidit. Une partie de cette humidité se condense sous forme de gouttelettes d'eau ou de minuscules glaçons, dont une grande partie se rassemble en nuages. Les nuages ne se trouvent qu'à quelques kilomètres du sol.

Dans l'espace, il n'y a pas d'eau, donc il ne peut se former de nuages d'humidité. Mais on y trouve d'immenses nuages de gaz et de poussières qui peuvent nous cacher les étoiles lointaines.

La Terre et ses nuages, vus de l'espace.

Que sont les radiations ?

Les savants appellent radiation tout ce qui émane de quelque chose — comme ce qui jaillit d'une pomme d'arrosoir. Toute radiation se déplace sous forme d'ondes. Par exemple, la lumière émanant d'une lampe ou du Soleil, ou encore la chaleur venue du Soleil. Les ondes de radio et de télévision se déplacent le long de fils métalliques et à travers l'air, sous forme de flux de radiations.

Y a-t-il des radiations dans l'espace ?

Oui. L'espace extérieur est sillonné d'une multitude de radiations : les ondes lumineuses, les rayons X — comme ceux qu'utilise le docteur pour photographier l'intérieur de ton corps. On y trouve bien d'autres radiations encore — toutes se déplaçant à une vitesse d'environ 18 millions de kilomètres à la minute.

Les radiations sont-elles dangereuses ?

Dans l'espace, elles le sont presque toutes. Les êtres humains ne peuvent rester en vie si ces radiations les frappent directement, aussi les astronautes en sont-ils protégés, soit par leur engin spatial, soit par leur combinaison.

Sur Terre, l'air nous protège de presque toutes les radiations dangereuses. Cependant, certaines traversent l'air et peuvent nous causer des brûlures.

Qu'appelle-t-on « ceintures de radiations » ?

La Terre est entourée de deux couches de nuages invisibles faits de particules minuscules, appelées protons et électrons. Ces particules sont si petites qu'on ne peut pas les voir, même au microscope. Ce sont ces deux couches de nuages qu'on appelle « ceintures de radiations ».

A l'intérieur de ces ceintures, les radiations sont mortelles, des milliers de fois plus fortes que ce qu'une personne peut supporter. Les astronautes en sont protégés par leur engin spatial lorsqu'ils doivent traverser les ceintures pour gagner l'espace. Ils peuvent aussi diriger leur engin loin des ceintures, à travers des zones non irradiées.

La planète Jupiter est entourée de grandes et puissantes ceintures de radiations. Ce doit être le cas pour d'autres planètes.

113

Quels sont les autres dangers de l'espace ?

On y rencontre des morceaux de rocs, appelés météorites qui sillonnent tout l'espace. Certaines ne sont pas plus grosses que des grains de sable, d'autres se déplacent à une vitesse des centaines de fois plus élevée que celle d'une balle de fusil. Elles sont si rapides que les plus petites d'entre elles peuvent causer de gros dégâts.

Qu'est-ce qu'un spatioport ?

C'est un endroit d'où les engins spatiaux prennent leur départ. Ils y sont chargés, équipés et en décollent. Un spatioport comporte des hangars, des réservoirs de stockage pour le carburant des fusées, des bâtiments pour emmagasiner tout ce qui est nécessaire aux voyages dans l'espace. Le principal spatioport des États-Unis est à Cap Canaveral, en Floride.

Le centre spatial Kennedy, à Cap Canaveral.

Quelle différence y a-t-il entre un vaisseau spatial et un astronef ?

Les deux mots ont pratiquement le même sens. Un vaisseau spatial est un engin propulsé par fusée, capable d'emmener dans l'espace des instruments ou des hommes. On utilise le mot astronef pour désigner des engins spatiaux, surtout dans les récits de science-fiction.

A quoi ressemble un vaisseau spatial ?

Voici des images de quelques vaisseaux de l'espace avec les fusées qui les propulsent. Tu peux voir comme l'ensemble est gigantesque par rapport à la taille d'un homme. Apollo 5 avec sa fusée avait 111 mètres de haut (un immeuble de 45 étages) et pesait plus de 2 700 tonnes.

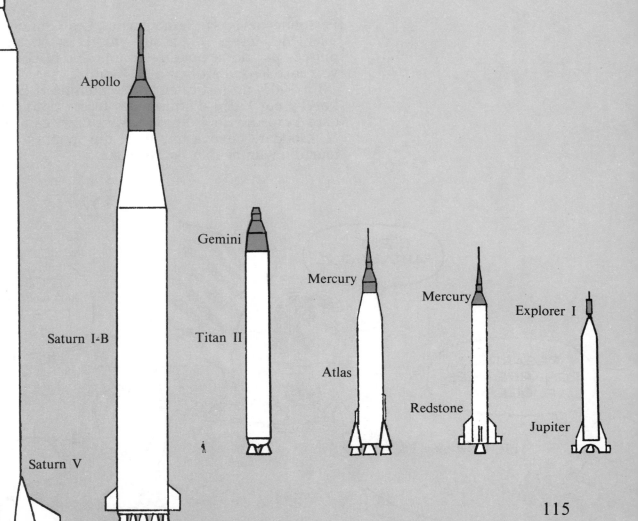

Apollo

Apollo

Gemini

Mercury

Mercury

Explorer I

Saturn I-B

Titan II

Atlas

Redstone

Jupiter

Saturn V

115

Qu'est-ce qu'une fusée ?

C'est une sorte de moteur assez puissant pour emmener dans l'espace un engin spatial. Pour cela, il brûle du carburant spécial, comme une auto brûle de l'essence. Mais une fusée consomme dix millions de fois plus de carburant qu'une auto.

Le mot fusée désigne aussi bien le moteur proprement dit que tout l'appareil lui-même ou que la seule partie de l'appareil qui propulse l'engin spatial.

Fusée d'artifice

Fusée de Goddard

Qui a fabriqué la première fusée ?

Personne ne le sait exactement. Les Chinois utilisaient des fusées il y a 800 ans. Elles étaient propulsées par de la poudre, comme les fusées que tu vois aux feux d'artifice du 14 juillet.

En 1903, un instituteur russe nommé K.E. Tsiolkovsky eut l'idée d'utiliser des fusées pour voyager dans l'espace. En 1926, le savant américain Robert H. Goddard envoya une fusée qui monta à la hauteur d'un immeuble de 20 étages.

Comment fonctionne une fusée ?

Il est étrange de constater que lorsqu'on veut se déplacer dans un certain sens, il faut donner une poussée en sens inverse. Lorsque tu rames, tu pousses l'eau en sens inverse de ton déplacement. Lorsque tu nages, tu repousses l'eau vers l'arrière pour te faire avancer.

Cette sorte de double effet est ce qui permet à la fusée d'agir. On brûle du carburant dans la fusée, on appelle cela la « mise à feu ». En brûlant, le carburant forme de grandes quantités de gaz chauds ; la chaleur donne à ces gaz une grande force d'expansion. Ils ont alors besoin d'un volume d'espace plus important et pourtant, ils ne peuvent s'échapper que par un orifice à l'arrière de la fusée, alors ils s'y précipitent et poussent la fusée dans la direction opposée à celle de l'échappement.

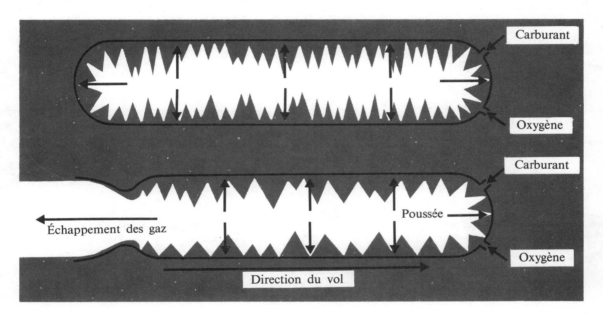

Carburant

Oxygène

Carburant

Échappement des gaz

Poussée

Oxygène

Direction du vol

Le carburant emporté par la fusée Saturn V pourrait faire parcourir à une auto 700 fois le tour de la Terre !

QU'EST-CE QU'UN TYPE BIEN COMME MOI PEUT FAIRE EN UN TEL ENDROIT ?

JE FREINE EN CROISANT DES SOUS COUPES VOLANTES

Qu'est-ce qu'un compte à rebours ?

C'est le temps que l'on compte pour assurer les derniers préparatifs avant le départ d'une fusée spatiale. Durant cette période, chaque centimètre de la fusée est essayé pour voir s'il est en état de fonctionner. On procède aussi aux essais du matériel de lancement et de guidage de la fusée. A chaque fois qu'un organe est constaté être en bon état, une lumière verte s'allume. Si quelque chose ne marche pas bien, on arrête le compte à rebours jusqu'à ce que tout ait été remis en état. Un homme parlant dans un micro annonce par haut-parleur à tous ceux qui se trouvent sur l'astroport combien il reste d'heures et de minutes.

Un compte à rebours peut durer des heures et même des jours. Il se poursuit jusqu'à ce qu'une lumière verte s'allume sur un certain cadran, alors le haut-parleur donne les derniers chiffres : « 10—9—8—7—6—5—4—3—2—1—Zéro ! », à cet instant, avec un grondement formidable, la fusée est mise à feu et commence à s'élever.

Qu'est-ce qu'une orbite ?

C'est la trajectoire que décrit dans l'espace un objet qui tourne autour d'un autre objet. Les planètes décrivent des orbites autour du Soleil ; chaque orbite planétaire a en gros la forme d'un œuf.

Il faut une année à la Terre pour parcourir son orbite. Pour les planètes plus proches du Soleil, il faut moins de temps, pour celles plus éloignées, il faut plus de temps.

Maintenant, nous savons envoyer des engins spatiaux tourner en orbite autour de la Terre, de la Lune et des planètes.

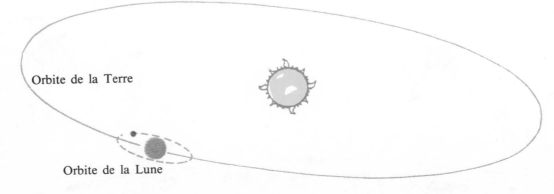

Orbite de la Terre

Orbite de la Lune

Comment met-on un engin spatial sur orbite ?

Cela se fait en trois étapes. Voici comment une capsule Apollo est mise sur orbite autour de la Terre, avant de gagner la Lune.

Le premier étage de la fusée donne au véhicule une énorme poussée qui lui permet de quitter le sòl. En deux minutes et demie, le véhicule spatial atteint 64 kilomètres d'altitude ; il a alors une vitesse de 9 600 kilomètres à l'heure. A ce moment, le premier étage de la fusée s'arrête de fonctionner et est largué dans la mer. La fusée est ainsi allégée, ce qui économisera du carburant pour le reste du voyage.

On allume alors le deuxième étage de la fusée pendant 6 minutes et on largue aussi cet étage. A ce moment, le véhicule est à 176 kilomètres d'altitude et atteint une vitesse de 22 400 kilomètres à l'heure.

Le troisième étage de la fusée est alors mis à feu pendant environ 2 minutes. Cela amène l'engin à une altitude de 192 kilomètres et lui donne une vitesse de 28 000 kilomètres à l'heure. Il se met alors en orbite autour de la Terre et circule à environ 30 fois la vitesse d'un avion à réaction.

Le troisième étage de la fusée reste fixé au véhicule spatial. Plus tard, c'est lui qui l'amènera sur la Lune et l'en ramènera. Ces fusées sont fixées à une partie du vaisseau spatial nommée les modules : module de commande, module de service, module lunaire.

Appollo 15 décolle

SI L'ON PORTE À L'OREILLE SON PLAT À PATÉE, ON ENTEND LE GRONDEMENT DE FUSÉES QUI DÉCOLLENT.

Le premier étage de la fusée Apollo a une puissance équivalente à celle de 640 000 moteurs d'autos !

Qu'est-ce qu'un module de commande ?

C'est la partie avant d'un engin spatial, là où vivent et travaillent les astronautes. Ce module est l'équivalent du cockpit d'un avion et s'appelle aussi capsule spatiale. Le module de commande d'un engin destiné à aller sur la Lune a plus de deux millions d'organes (une auto en a moins de deux mille).

Qu'est-ce qu'un module de service ?

C'est la partie de l'engin spatial qui contient les batteries d'électricité ; électricité dont on a besoin pour le conditionnement de l'air, pour le chauffage et l'éclairage. Le module contient aussi les réservoirs d'oxygène pour fournir de l'air respirable aux astronautes.

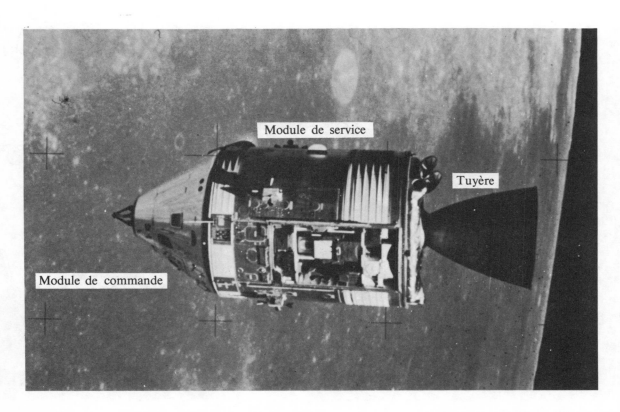

Module de service

Tuyère

Module de commande

Qu'est-ce qu'un module lunaire ?

C'est la partie de l'engin spatial qui se pose sur la Lune. On l'appelle le LEM ; c'est le troisième étage de l'engin spatial qui le contient.

Après que le vaisseau spatial s'est placé sur une orbite autour de la Lune, le LEM s'en sépare et commence à descendre. Les astronautes n'y ont pas tous pris place, l'un d'entre eux doit rester dans le vaisseau, sur orbite, pour le manœuvrer.

Quand le LEM atteint l'endroit où il doit se poser, on allume les fusées pour qu'il descende très doucement.

Le LEM sur la Lune

Que deviennent les différentes parties d'une fusée spatiale quand on les a larguées ?

Lorsqu'une fusée spatiale s'envole, beaucoup d'objets, comme les étages de fusée, sont abandonnés dans l'espace. Les premiers largués sont ralentis par le frottement de l'air : certains brûlent en tombant. D'autres plongent dans la mer.

Les fragments qui sont abandonnés à plus haute altitude restent sur orbite autour de la Terre. On les appelle des détritus de l'espace. Ils peuvent y rester un an ou plus, avant de tomber et de brûler. Il y a plus de 3 000 détritus de l'espace sur orbite.

Une marche dans l'espace

Pendant une marche dans l'espace en 1969, l'astronaute Michael Collins laissa échapper son appareil photographique. C'est un détritus de l'espace d'un très grand prix !

Comment dirige-t-on un engin spatial ?

Cela se fait en orientant les moteurs-fusées principaux, situés à l'arrière de l'engin. Pour faire tourner légèrement celui-ci, on allume de petites fusées situées sur ses flancs. Ces fusées de direction peuvent être actionnées par les astronautes ou par des signaux radio venus de la Terre.

Qu'est-ce qu'un centre de contrôle de mission ?

Les vols dans l'espace sont tous pris en charge par un centre de contrôle de mission. Les hommes qui ont en charge le vol du vaisseau spatial travaillent dans ce centre.

Ce centre ne se trouve pas nécessairement près du spatioport, il peut en être éloigné de centaines de kilomètres. Les membres du personnel du centre s'entretiennent par radio avec les astronautes et les communications ont lieu dans les deux sens, à l'aide d'appareils émetteurs-récepteurs. Le personnel du centre de contrôle surveille aussi des signaux lumineux et des écrans de télévision spéciaux, pour suivre les péripéties du vol.

Qu'est-ce que la NASA ?

C'est un sigle pour National Aeronautics and Space Administration (Administration Nationale de l'Aéronautique et de l'Espace). C'est un organe du gouvernement américain qui s'occupe de l'exploration de l'espace. Des milliers de savants et d'ingénieurs travaillent pour la NASA.

Comment la NASA peut-elle suivre le vol d'un engin spatial ?

Les stations de radio de la Terre recueillent les signaux envoyés par les engins spatiaux. Ces stations sont disséminées à la surface de la Terre ou sur des navires en mer.

Les signaux sont envoyés à un ordinateur qui présente alors le trajet du vaisseau spatial.

Peut-on envoyer des engins spatiaux sur les planètes ?

Oui. En 1976, un vaisseau spatial américain, appelé Viking, a atterri sur la planète Mars. Un Pioneer-Saturn a été lancé vers Saturne pour y arriver en 1979 ; il a dépassé Jupiter et a envoyé des informations scientifiques. Plus tard, les États-Unis lanceront un autre Pioneer sur Vénus. Les Russes ont déjà envoyé sur Vénus deux engins, Venera 3 et Venera 4, mais ils se sont écrasés au sol.

Il n'est pas nécessaire qu'un engin spatial se pose sur le sol d'une planète pour donner des informations ; il peut emporter un télescope qui transmet des images de la planète qu'il frôle. Ces photos sont très nettes et bien meilleures que celles prises par les télescopes terrestres.

Les hommes iront-ils un jour sur d'autres planètes ?

Oui, mais ce ne sera pas facile. Le voyage durera des mois, même pour les planètes les plus proches comme Mars ou Vénus. Il y a plus de chance que ce soit pour Mars que pour Vénus, car bien que Mars soit plus froide que la Terre, une combinaison spatiale pourra donner assez de chaleur à son occupant. Quant à Vénus, comme il y fait plus chaud qu'à l'intérieur d'un four, une combinaison spatiale n'y fera rien.

DEUX SEMAINES SUR VÉNUS... TOUS FRAIS PAYÉS... PAS MAL.

ASTRONAUTE DISPONIBLE

Qu'est-ce que la gravitation ?

C'est une force que possède chaque planète, lune ou étoile. Elle attire vers le centre de la planète, de la lune ou de l'étoile tout ce qui passe à proximité.

C'est la force de gravitation de la Terre qui retient la Lune sur son orbite. C'est la force de gravitation du Soleil qui retient les planètes sur leur orbite respective.

Monte sur une bascule, si elle indique que tu pèses 40 kilos, cela voudra dire que la force de gravitation terrestre qui s'exerce sur toi est de 40 kilos.

NE PRENDS PAS SI MAL LES CHOSES, CHER PETIT AMI. CELA EST DÛ SIMPLEMENT AU FAIT QUE LA GRAVITATION TERRES-TRE EXERCE SUR TON CORPS UNE FORCE D'À PEINE UNE DEMI-LIVRE.

Qu'est-ce qu'un satellite ?

Tout ce qui dans l'espace se déplace sur une orbite est un satellite. La Terre est un satellite du Soleil, comme le sont aussi les autres planètes. La Lune est le satellite de la Terre, sur orbite autour d'elle. Six des neuf planètes ont des satellites qui se déplacent autour de chacune d'elles. La Terre n'a qu'une lune, mais Saturne en a dix et Jupiter en a quatorze. Il est possible qu'on découvre d'autres lunes encore.

Ce sont des satellites naturels.

Il existe aussi des satellites artificiels, cela voulant dire qu'ils ont été fabriqués par l'homme. On les a construits sur la Terre. Et ils ont été placés sur orbite. Depuis le commencement de l'âge de l'espace, des centaines de satellites artificiels ont été envoyés dans l'espace : satellites météorologiques, de télévision, ou d'autres sortes.

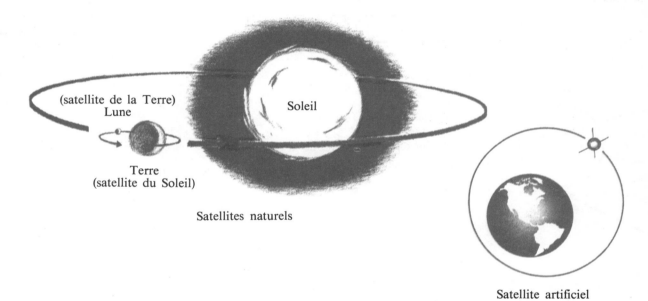

Satellites naturels

Satellite artificiel

127

Quel fut le premier satellite à tourner autour de la Terre ?

La Lune, bien sûr ! qui est le satellite naturel de la Terre et qui est en orbite depuis des millions d'années. Le premier satellite artificiel, appelé Spoutnik I, fut lancé par la Russie en 1957. Quelques mois après, le premier satellite américain, Explorer I, fut mis sur orbite. Peu de temps après, ces satellites artificiels ralentirent, retombèrent sur terre et, en traversant l'atmosphère, ils brûlèrent.

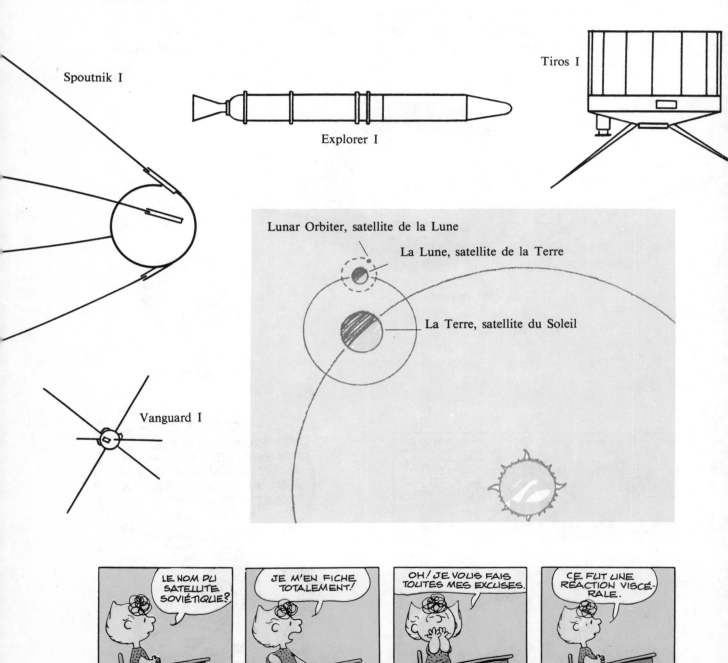

Spoutnik I

Explorer I

Tiros I

Lunar Orbiter, satellite de la Lune

La Lune, satellite de la Terre

La Terre, satellite du Soleil

Vanguard I

LE NOM DU SATELLITE SOVIÉTIQUE ?

JE M'EN FICHE TOTALEMENT !

OH ! JE VOUS FAIS TOUTES MES EXCUSES.

CE FUT UNE RÉACTION VISCÉRALE.

A quoi servent les satellites artificiels ?

Les satellites météorologiques tournent à plusieurs centaines de kilomètres au-dessus de la Terre, ils mesurent la température et l'humidité de l'air, envoient des images de télévision montrant où se trouvent les nuages et les orages.

Les satellites de télécommunication reçoivent les ondes émises par les stations de télévision terrestres et les retransmettent à des endroits très éloignés. C'est ainsi que tu peux voir des actualités télévisées venant de l'autre côté de la Terre. On utilise même certains satellites de télécommunication pour les communications téléphoniques à grande distance.

Des satellites scientifiques mesurent les radiations de l'espace qui n'arrivent pas jusqu'au sol, d'autres emportent des télescopes qui envoient des images des planètes et des étoiles, images plus nettes que celles prises à partir de la Terre.

Satellite scientifique

Qu'est-ce qu'un cosmonaute ?

C'est le nom que les Russes donnent à leurs hommes de l'espace, cela vient de deux mots grecs signifiant « marin de l'univers ». Les Américains appellent leurs hommes de l'espace des astronautes, ce qui veut dire « marin des étoiles ».

Comment peut-on devenir astronaute ?

Si tu veux devenir astronaute, tu dois avoir moins de 34 ans, être intelligent et en bonne santé. Tu dois avoir une bonne instruction, entreprendre une longue période d'entraînement et subir des examens divers.

Un astronaute doit étudier les sciences et la technologie, et avoir au moins 1 000 heures de vol sur avion à réaction.

L'entraînement spécial des astronautes est très dur, beaucoup abandonnent avant la fin.

Une femme est-elle déjà allée dans l'espace ?

Oui. Une femme cosmonaute, nommée Valentina Tereshkova, qui prit place dans le vaisseau spatial russe Vostok 6, mis en orbite autour de la Terre en 1963.

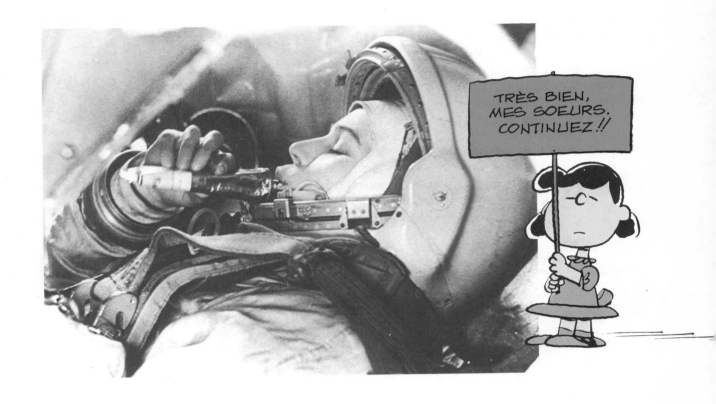

Y aura-t-il d'autres femmes dans l'espace ?

C'est probable. A partir de 1980, les États-Unis projettent d'envoyer assez souvent des hommes dans l'espace et la NASA entraîne un groupe d'infirmières de l'Air Force. Elles vivront et travailleront un certain temps dans des stations spatiales, tournant autour de la Terre. Ces stations seront des laboratoires de recherche, mais elles hébergeront aussi des astronautes allant d'un lieu à l'autre de l'espace.

Pourquoi les astronautes revêtent-ils une combinaison spatiale ?

L'utilité principale d'une combinaison spatiale consiste avant tout à préserver la vie et à assurer le bien-être d'un astronaute quand il n'est pas dans son vaisseau spatial. Une combinaison est étanche, elle conserve l'air à une pression et à une température aussi proches que possible de celles qui règnent sur la Terre. Un astronaute porte aussi un casque, dont la partie avant est enduite d'une mince couche d'or pour le protéger des radiations solaires.

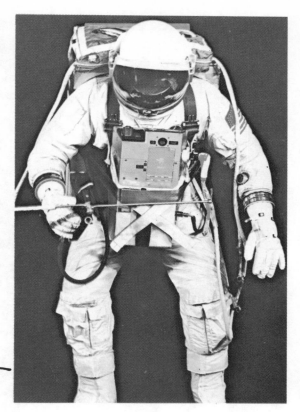

Un astronaute peut-il ôter sa combinaison au cours d'un voyage dans l'espace ?

Oui, à condition de rester dans son vaisseau spatial. Il faut, bien sûr, qu'il réendosse sa combinaison s'il veut effectuer une marche dans l'espace ou se déplacer sur la Lune. Les astronautes s'aident mutuellement à revêtir cette encombrante combinaison. S'ils doivent s'éloigner de leur vaisseau spatial, ils emportent aussi un équipement dorsal qui leur fournit l'air, climatise leur combinaison et contient un équipement radio pour garder le contact avec la Terre et les autres astronautes.

Qu'est-ce qu'une marche dans l'espace ?

Quand un astronaute sort de son vaisseau sur orbite dans l'espace, on dit qu'il effectue une marche dans l'espace. Ce n'est pas vraiment une marche, il se glisse le long de son vaisseau spatial. Tout astronaute sortant dans l'espace est relié à son vaisseau par un long tuyau qui l'empêche de partir à la dérive dans l'espace et qui a le même usage qu'un équipement dorsal, car il renferme des fils électriques pour la climatisation et la radio, et amène de l'air pour respirer.

Pour revenir au vaisseau, l'astronaute se hale sur son tuyau.

Qu'est-ce qu'un équipement de survie ?

Un équipement de survie comporte tout ce dont un astronaute a besoin pour rester en vie dans l'espace. Il constitue la partie d'un vaisseau spatial qui maintient les conditions ambiantes proches de celles de la Terre.

Cet équipement contient de l'eau, de l'air, de la nourriture pour les astronautes. Il maintient une température agréable. Il protège les astronautes des radiations nocives de l'espace.

L'équipement dorsal des astronautes est un système de survie de petites dimensions qui leur permet de sortir du vaisseau spatial.

Pourquoi les objets flottent-ils dans un vaisseau spatial ?

Sur Terre, la gravitation retient tous les objets au sol. Dans un vaisseau spatial en orbite, la gravitation terrestre attire tous les objets du vaisseau, mais une autre force — la force centrifuge — née du déplacement en orbite, repousse les objets. Les deux forces sont égales, ce qui fait que tout — objet ou être vivant — flotte.

Ce flottement est appelé état d'apesanteur. Tout objet contenu dans un vaisseau spatial flotte, s'il n'est pas fixé solidement.

Que mangent les astronautes ?

Les aliments sont congelés et déshydratés, pour qu'ils restent frais, et pour gagner de la place. On les congèle d'abord, puis on en ôte toute la glace qui s'y est formée. Il n'y a plus qu'à ajouter de l'eau à ces aliments, et ils sont prêts à être consommés.

Manger, dans un vaisseau spatial en orbite, est une opération malaisée, à cause de l'apesanteur. On ne peut pas boire à l'aide d'un récipient ouvert, car le liquide forme des gouttes, qui flottent et mouillent tout. Il faut enfermer les liquides dans des récipients en plastique fermés, que les astronautes pressent, pour s'envoyer le liquide dans la bouche. Les aliments solides sont présentés en fragments d'une seule bouchée, de manière qu'ils ne laissent pas de miettes, qui flotteraient partout, et pollueraient l'air du vaisseau.

Pour de très longs voyages, il est probable que, plus tard, les astronautes cultiveront des plantes dans leur vaisseau spatial.

Comment les astronautes se débarrassent-ils des déchets humains ?

Les déchets liquides sont envoyés dans l'espace, où ils s'évaporent. Les déchets solides sont enfermés dans des sacs en plastique, où des produits chimiques tuent les bactéries. On se débarrasse de ces sacs, quand le vaisseau revient sur Terre.

135

Comment les astronautes s'entraînent-ils ?

Les savants ont créé, sur Terre, des centres d'entraînement, qui reproduisent les conditions de vie dans l'espace. Par exemple, on enferme un astronaute dans une grosse boule de métal, à laquelle on fait accomplir un trajet circulaire, à très grande vitesse, ce qui exerce sur le corps de l'astronaute une poussée très forte, semblable à celle qu'il subira, lorsque le vaisseau spatial prendra son essor. Les astronautes s'entraînent aussi à évoluer, vêtus de leur combinaison spatiale, dans une piscine, ce qui les habitue à être en état d'apesanteur.

On apprend aussi aux astronautes à s'exercer sur des copies exactes des tableaux de commande de leur module, et ils s'y entraînent à manipuler les boutons et les manettes qui contrôlent le vaisseau.

LE TABLEAU DE BORD DU MODULE DE COMMANDE DU VAISSEAU APOLLO A PLUS DE 600 BOUTONS. JE SUIS MALADE RIEN QUE D'Y PENSER.

Le tableau de bord d'une auto comporte environ une demi-douzaine de boutons et de voyants lumineux. Le tableau de bord du module de commande du vaisseau Apollo en a plus de 600 !

Qu'est-ce que la médecine de l'espace ?

C'est la science médicale qui s'applique à la santé des astronautes. On peut savoir à l'avance une quantité de choses, sur la manière dont l'espace peut affecter la santé des astronautes. Les médecins étudient les astronautes, à l'entraînement, sur Terre, et examinent leur santé, quand ils sont dans l'espace, et lorsqu'ils reviennent sur Terre.

Comment les médecins peuvent-ils étudier la santé des astronautes dans l'espace ?

Des instruments de mesure sont reliés électriquement au corps des astronautes, et enregistrent leur respiration, leurs battements de cœur, leur température. Ces informations sont envoyées directement, par radio, à la Terre.

Quels sont les effets des voyages spatiaux sur les pensées et les sensations des astronautes ?

Lorsqu'un astronaute reste seul dans l'espace, pendant des jours et des jours, il peut être fortement perturbé, et même être pris de panique. Il arrive que les choses lui paraissent floues, il se sent drôle, les choses qui l'entourent lui semblent irréelles.

Même si un astronaute n'est pas seul, il peut devenir tendu et maussade ; c'est pour cette raison que les gens qui, dans l'avenir, travailleront dans des satellites, appelés stations spatiales, devront être renvoyés sur Terre, au bout d'un mois environ, et seront remplacés par d'autres astronautes.

Pourquoi un astronaute est-il attaché sur sa couchette ?

Cela ne se fait que pendant le décollage et le retour sur Terre ; pendant ces deux périodes, le corps d'un astronaute est soumis à de très fortes poussées. (La même sorte de poussée que lorsque tu es dans une auto qui démarre brutalement ; tu te sens alors enfoncé dans ton siège.)

Les forces de poussée sont beaucoup plus grandes, dans un vaisseau spatial, qui quitte la Terre, ou qui y revient. Les astronautes ressentent alors une force de l'ordre d'une tonne, agissant sur leur corps ; c'est pour cette raison qu'ils doivent reposer sur une couchette, lors du décollage et de l'atterrissage.

Combien de temps un astronaute peut-il rester dans l'espace ?

On ne le sait pas avec certitude. En 1973, un vaisseau spatial, nommé Skylab, fut mis en orbite autour de la Terre, avec quatre hommes à l'intérieur. Ils y restèrent et y travaillèrent pendant presque un mois, et revinrent sur Terre en bonne santé. D'autres équipes d'astronautes ont passé près de trois mois sur orbite.

Bien sûr, le problème serait différent, si on envoyait des astronautes plus loin dans l'espace ; un voyage vers une planète prendrait plusieurs mois, ou plusieurs années.

Un voyage vers l'étoile la plus proche de la Terre, durerait le temps d'une vie humaine, même si l'astronef se déplaçait à 160 000 kilomètres à la seconde !

Qu'est-ce que l'amarrage de deux vaisseaux spatiaux ?

Deux vaisseaux spatiaux peuvent se rencontrer et s'unir l'un à l'autre. Ils utilisent leurs petites fusées, pour s'aligner sur la même orbite, puis ils se rapprochent l'un de l'autre, jusqu'à ce qu'ils puissent se fixer l'un à l'autre. C'est cela l'amarrage ou la jonction.

En 1975, un vaisseau américain Apollo s'est amarré à un vaisseau russe Soyouz, sur une orbite, à 221 kilomètres de la Terre. Les astronautes et les cosmonautes se sont rendu visite d'un vaisseau à l'autre.

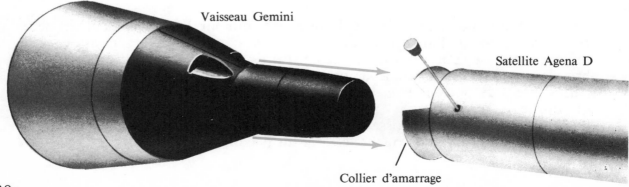

Vaisseau Gemini

Satellite Agena D

Collier d'amarrage

Combien de temps dure un voyage Terre-Lune ?

Le premier vol humain vers la Lune dura environ quatre jours, du moment du décollage jusqu'au moment de la mise en orbite autour de la Lune. Le voyage de retour dura moins de trois jours.

Qui fut le premier homme sur la Lune ?

Le premier homme qui posa le pied sur la Lune, fut l'astronaute Neil Armstrong, sorti d'Apollo 11, le 20 juillet 1969. Depuis, dix hommes sont allés sur la Lune.

Neil Armstrong

A quoi ressemble la lune vue de près ?

La Lune a une surface inégale et rocheuse. On y trouve des montagnes, de profondes crevasses, et des falaises abruptes. Toute la surface de la Lune est parsemée de milliers d'excavations circulaires, en forme de soucoupes, appelées cratères. La plupart d'entre elles se formèrent à la suite de l'écrasement de météorites sur la Lune. Ces météorites explosèrent sous le choc, et leurs débris furent dispersés. Aussi ne retrouve-t-on pas ces météorites, mais les trous qu'elles ont creusés. Certains cratères mesurent moins de trente centimètres ; les plus grands ont plus de deux cent quarante kilomètres de diamètre.

On trouve aussi, sur la Lune, de grandes zones unies, appelées des « mers » ; elles ne contiennent pas d'eau ; elles se formèrent lorsque des roches en fusion jaillirent du sol, coulèrent et se solidifièrent. Ces roches en fusion ont pu venir de l'intérieur de la Lune ; ou alors, d'énormes roches, en s'écrasant sur la Lune, ont pu fondre sous l'effet de la chaleur, dégagée par le choc.

Moon-rover (véhicule lunaire)

! Le plus grand cratère lunaire pourrait contenir deux millions de terrains de football !

140

AUTREFOIS, CELA M'INQUIÉTAIT DE DORMIR DEHORS LA NUIT.

JE PENSAIS QU'IL Y AVAIT DES ARAIGNÉES SUR LA LUNE ET QUE L'UNE D'ELLES POURRAIT ME TOMBER DESSUS PENDANT MON SOMMEIL.

MAINTENANT, LES ASTRONAUTES ONT DÉCOUVERT QU'IL N'Y AVAIT PAS D'ARAIGNÉES SUR LA LUNE.

JE SUIS UN SUPPORTER CONVAINCU DE NOTRE PROGRAMME SPATIAL.

Comment les astronautes conversent-ils entre eux sur la Lune ?

Ils utilisent de petits postes de radio, contenus dans leur combinaison spatiale. Ces postes de radio fonctionnent sur la Lune, parce que les ondes radio n'ont pas besoin d'air pour se propager.

Lorsque les astronautes conversent entre eux, le centre de contrôle les écoute. Les gens de la Terre peuvent répondre aux questions des astronautes, et leur dire ce qu'ils doivent faire.

Un astronaute peut-il faire de l'auto-stop sur la Lune ?

Oui, si un autre astronaute passe par là avec un moon-rover, qui est un véhicule, un peu semblable à une jeep, et mû par des batteries. Lors d'une expédition lunaire, les astronautes David Scott et James Irvin voyagèrent sur plus de 27 kilomètres, dans leur moon-rover. Ils ramassèrent des roches lunaires, pour les rapporter sur la Terre.

ÇA C'EST UNE LONGUE DISTANCE !

TIPPERARY 406.610 Km.

La gravitation se fait-elle sentir sur la Lune ?

Oui. Mais la Lune étant beaucoup plus petite que la Terre, la gravitation y est plus faible. Si tu pèses 41 kg sur la Terre, tu ne pèseras que 7 kg sur la Lune.

Pourquoi, sur la Lune, les astronautes marchent-ils en traînant les pieds ?

Comme la gravitation n'attire pas aussi fort sur la Lune que sur la Terre, les astronautes ne peuvent pas marcher sur la Lune comme ils le font sur la Terre. S'ils l'essayaient, ils s'élèveraient à plusieurs mètres du sol à chaque pas. Il leur est possible de mieux garder leur équilibre, et de rester au sol, en traînant les pieds.

Si les astronautes ne devaient pas porter leur lourde combinaison spatiale et leur équipement dorsal, ils pourraient sauter à 11 mètres de haut.

Saturn I-Appollo à Cap Canaveral

Le vaisseau Gemini VII

L'astronaute Edwin Aldrin sur la Lune

David R. Scott et Apollo 9

La Terre vue de la Lune

Apollo 11 recueilli après l'amerrissage

Sur la Lune, les athlètes pourraient
sauter par-dessus une maison
de deux étages, et le choc, à l'arrivée,
ne serait pas plus fort que celui
d'une chute de 1,80 m sur Terre !

ET AINSI, MÊME UN PETIT GARÇON COMME MOI POURRA BATTRE LES RECORD. DE SAUT EN HAUTEUR SUR LA LUNE.

Comment les astronautes quittent-ils la Lune ?

Quand les astronautes ont terminé leurs tâches sur la Lune, ils décollent à l'aide du LEM, qui monte à la rencontre du vaisseau principal, resté sur orbite autour de la Lune. Les deux engins se rejoignent, et les astronautes passent à bord du module de commande. Le LEM est abandonné dans l'espace. Les fusées du troisième étage du module de service sont mises à feu, et le vaisseau fonce alors vers la Terre.

Comment un vaisseau spatial quitte son orbite

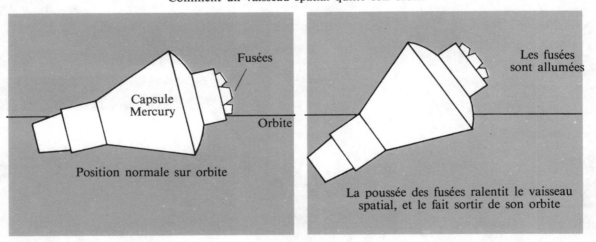

Qu'est-ce qu'une rentrée dans l'atmosphère ?

Lorsqu'un vaisseau spatial revient de l'espace, il doit plonger dans la couche atmosphérique avant d'atterrir. C'est la rentrée.

144

Qu'est-ce que le bouclier thermique d'un vaisseau spatial ?

Quand un vaisseau spatial, retournant vers la Terre, pénètre dans l'atmosphère, il devient brûlant. Pour protéger les astronautes, la partie frontale de la capsule est recouverte d'un bouclier thermique, en plastique spécial. Le bouclier s'échauffe jusqu'à 2 700 °C. Une partie du plastique fond et se détache, éloignant ainsi la chaleur.

A l'intérieur de la capsule, la température reste agréable, à 27 °C.

Les astronautes peuvent-ils parler avec le centre de contrôle, pendant l'atterrissage ?

Les astronautes et le centre de contrôle peuvent se parler par radio, jusqu'au moment où le vaisseau spatial rentre dans l'atmosphère ; alors, le bouclier thermique commence à s'échauffer, et il arrive une chose étrange : un nuage de fines particules électriques se forme autour du module. Les ondes radio ne peuvent pas traverser ce nuage ; ainsi, pendant plusieurs minutes, le silence règne entre la capsule et le sol.

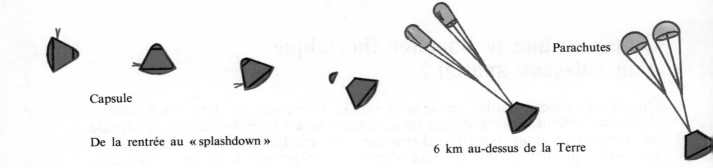

Capsule

De la rentrée au « splashdown »

Parachutes

6 km au-dessus de la Terre

Comment un vaisseau spatial
fait-il un atterrissage sans danger ?

Au moment où le vaisseau spatial se prépare à rentrer dans l'atmosphère, le module de service est largué dans l'espace. Il ne reste plus que le module de commande, la capsule, contenant les astronautes.

Avant la rentrée, la capsule se retourne de manière que la partie arrière, avec le bouclier thermique, soit face vers l'avant ; ce qui s'effectue à l'aide de petites fusées. Lorsque la capsule pénètre dans l'atmosphère, elle ne se dirige pas droit vers le sol, elle suit une trajectoire oblique.

C'est un ordinateur qui dirige la capsule. Si celle-ci était trop inclinée vers le bas, elle s'échaufferait trop, et brûlerait ; si elle n'était pas assez inclinée, elle rebondirait sur les couches supérieures de l'atmosphère, et serait renvoyée dans l'espace. Comme la capsule n'a plus ses puissantes fusées, elle ne pourrait plus revenir sur Terre.

Au moment de la rentrée, la capsule se déplace à 40 000 kilomètres à l'heure. Pour pouvoir atterrir en toute sécurité, il faut ramener cette vitesse énorme à quelques kilomètres à l'heure. Le frottement de l'air fait perdre à la capsule la plus grande partie de sa vitesse. A environ 6 kilomètres d'altitude, deux petits parachutes s'ouvrent, ils ralentissent la chute, et empêchent la capsule d'osciller. A environ trois kilomètres, trois grands parachutes s'ouvrent ; alors, la capsule descend très lentement vers le sol.

Qu'est-ce que le « splashdown » ?

Ce mot américain (SPLACH-DA-OUNN) désigne le moment où la capsule touche la surface de la mer. Aussitôt, des hélicoptères se hâtent vers la capsule à flots. Des plongeurs sautent dans la mer, et entourent la capsule d'un ballon en forme d'anneau, pour qu'elle ne puisse pas couler. Les astronautes ouvrent une porte, appelée écoutille, et sont hissés dans l'hélicoptère, qui les ramène à un bateau proche. Leur voyage est terminé.

Jusqu'à maintenant, tous les voyages spatiaux américains se sont terminés dans la mer. Les cosmonautes soviétiques posent leurs vaisseaux sur la terre ferme.

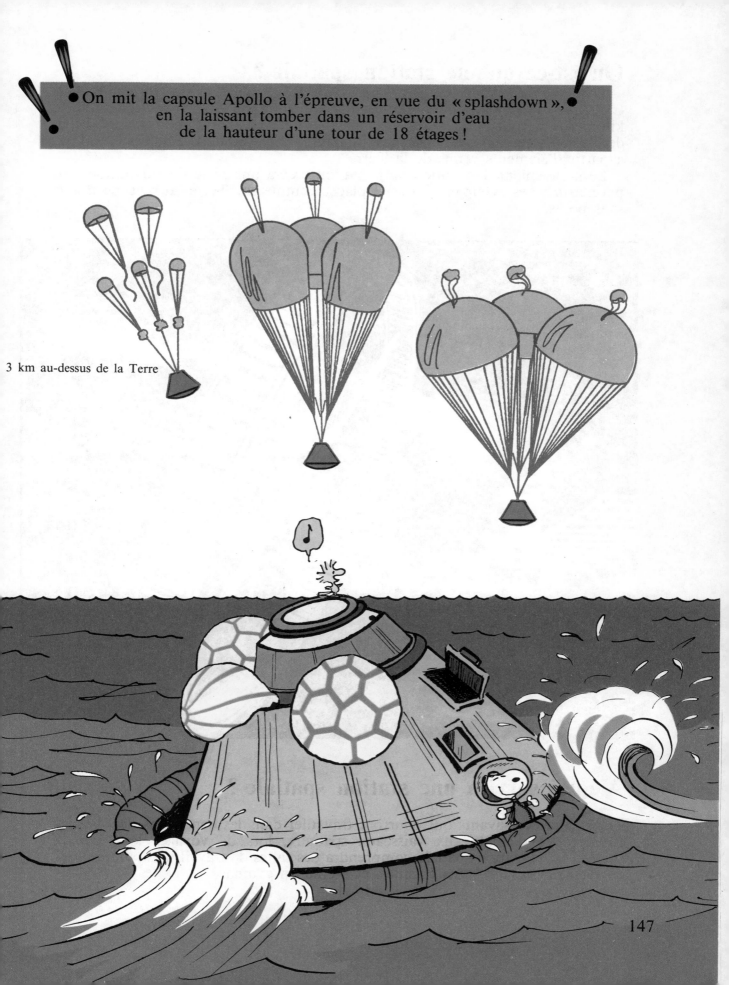

On mit la capsule Apollo à l'épreuve, en vue du « splashdown »,
en la laissant tomber dans un réservoir d'eau
de la hauteur d'une tour de 18 étages !

3 km au-dessus de la Terre

147

Qu'est-ce qu'une station spatiale ?

C'est une espèce particulière de satellite, qui tournera à quelques centaines de kilomètres autour de la Terre. Certaines auront la forme d'une immense roue, de plusieurs centaines de mètres de diamètre. Elles seront assemblées en orbite, à partir d'éléments venus de la Terre.

Le mouvement de rotation de la station créera une sorte de gravitation, qui permettra à ses occupants de se déplacer comme sur Terre, au lieu de flotter sans poids.

A quoi servira une station spatiale ?

Elle logera des savants qui pourront travailler dans les conditions de l'espace. Elle servira d'escale aux vaisseaux spatiaux, lors de voyages lointains. A l'intérieur, la station spatiale comprendra des salles de travail, des laboratoires, et aussi des dortoirs, des cuisines, et même un gymnase.

Y aura-t-il des usines dans l'espace ?

Probablement. Elles serviront à fabriquer des objets difficiles à manufacturer sur Terre. Par exemple, on peut faire adhérer des métaux en les chauffant ; c'est une soudure. Pour que la soudure soit solide, il faut éviter que les pièces métalliques soient en contact avec l'air pendant la soudure. Sur Terre, on peut souder ainsi de petits objets, dans un récipient clos, où l'on a fait le vide. Mais ce n'est pas possible pour de trop gros objets. On pourra réaliser de telles soudures dans une usine sans air, sur la Lune, ou dans une station spatiale.

Qu'est-ce qu'une navette spatiale ?

C'est un vaisseau spatial qui fait le voyage aller-retour, entre la Terre et une station spatiale. Elle emmènera des passagers et du matériel. Elle devra avoir des ailes, et la taille d'un gros vaisseau de transport.

Pendant son ascension, la navette larguera certaines de ses fusées, qui retomberont en parachute, et pourront être réutilisées.

Au retour, la navette allumera son moteur-fusée, et se déplacera dans l'air, sous la protection d'un bouclier thermique, puis atterrira sur une piste, comme un avion.

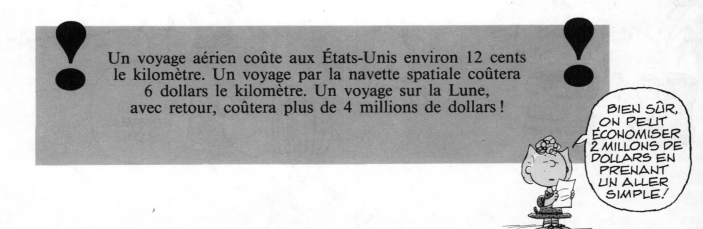

Un voyage aérien coûte aux États-Unis environ 12 cents le kilomètre. Un voyage par la navette spatiale coûtera 6 dollars le kilomètre. Un voyage sur la Lune, avec retour, coûtera plus de 4 millions de dollars !

Qu'est-ce qu'une colonie de l'espace ?

C'est une sorte d'île de l'espace, dans laquelle pourront vivre et travailler des milliers de personnes. Il n'existe pas encore de colonie de l'espace, mais les États-Unis et l'U.R.S.S. en ont établi des projets.

Chaque colonie de l'espace sera constituée par un gigantesque tube d'aluminium, long de près d'un kilomètre, en orbite autour de la Terre. Il tournera lentement sur lui-même, pour donner une sensation de pesanteur. D'immenses miroirs condenseront les rayons du Soleil, et serviront à produire toute l'électricité nécessaire à la colonie. Une fois la colonie installée, il ne sera pas nécessaire d'y amener beaucoup de choses de la Terre ; elle élèvera son bétail, et cultivera céréales, fruits et légumes. Elle pourra tirer des pierres et des matériaux de construction de la Lune. Cela permettra à la Terre d'économiser de la nourriture et d'autres ressources naturelles.

Pourquoi construire des colonies de l'espace ?

Dans une colonie de l'espace, il y aura de la nourriture en abondance ; on ne sera exposé ni aux séismes, ni aux inondations, ni aux typhons. Ce seront des endroits où on sera plus en sécurité que sur la Terre.

On y jouira du Soleil 24 heures sur 24. Les rayons du Soleil fourniront à la colonie toute l'énergie dont elle aura besoin pour ses machines. S'il arrive que la terre soit surpeuplée, les gens pourront aller dans des colonies de l'espace.

Peut-être que toi et ta famille irez vivre dans une colonie de l'espace lorsque tu auras atteint l'âge mûr !

151

Y a-t-il d'autres êtres vivants dans l'espace ?

On ne connaît pas de planète habitée, autre que la Terre, mais il y a des centaines de milliards d'étoiles dans l'univers ; des millions d'entre elles doivent avoir des planètes en orbite autour d'elles. Il est probable que, sur certaines de ces planètes, il règne des conditions favorables à la vie.

On doit y trouver des créatures intelligentes, qui peuvent peut-être essayer d'entrer en contact avec nous, par des signaux radio. Les savants cherchent à capter de tels signaux, mais en vain jusqu'à maintenant.

Renvoi aux illustrations en *italique*